Mon Cœur Palpitait Comme un Tambour

Ce que j'ai appris dans les Pensionnats destinés aux Indiens, Territoires du Nord-Ouest

Canadä

Nous reconnaissons l'aide financière du gouvernement du Canada par l'entremise du Programme d'aide au développement de l'industrie de l'édition (PADIÉ) pour nos activités d'édition.

Catalogage avant publication de Bibliothèque et Archives Canada

Blondin-Perrin, Alice, 1948-
    Mon cœur palpitait comme un tambour / Alice Blondin-Perrin ; traduit par Rosaire Beauchesne.

Traduction de: My heart shook like a drum.
Comprend des réf. bibliogr.
ISBN 978-0-88887-501-3

    1. Blondin-Perrin, Alice, 1948-. 2. Blondin-Perrin, Alice, 1948- --Famille. 3. Internats pour Indiens d'Amérique--Territoires du Nord-Ouest--Romans, nouvelles, etc. 4. Déné (Indiens)--Éducation--Territoires du Nord-Ouest. 5. Déné (Indiens)--Territoires du Nord-Ouest--Biographies. I. Titre.

E99.T56B5814 2013   371.829'97207193   C2013-901640-6

Certains noms cités dans ce livre furent altérés
afin de préserver leur intimité.

Mon Cœur Palpitait Comme un Tambour

Ce que j'ai appris dans les Pensionnats destinés
aux Indiens, Territoires du Nord-Ouest

Alice Blondin-Perrin

Traduit par Rosaire Beauchesne

Borealis Press
Ottawa, Canada
2013

My loving Mom and I, Eliza and Alice Blondin

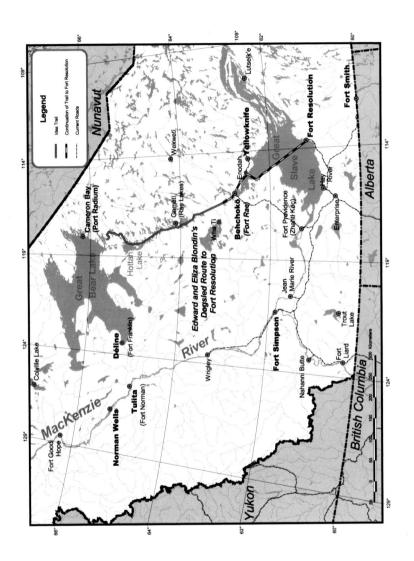

Legend
Idea Trail
Continuation of Trail to Fort Resolution
Current Roads

Pour ma famille

Je n'aurais pas pu rédiger ce livre sans l'appui de plusieurs personnes. J'aimerais témoigner de la reconnaissance à tous les membres de ma famille qui m'ont soutenue et encouragée lors de l'écriture de ce livre. Je voudrais remercier mes amies Dora et Ruthie; mes sœurs Be'sha et Muriel, mes frère Joe et mon regretté frère George. J'aimerais également offrir mes remerciements à : Lee Selleck qui a révisé mon manuscrit et Janet Shorten qui remania le texte final. Je suis suis reconnaissante à la Nation Dénée, tout particulièrement celle de Yellowknife, à l'Association des Femmes Aborigènes des Territoires du Nord-Ouest et au personnel des Archives provinciales de l'Alberta. La publication de cet ouvrage a été rendue possible grâce à une subvention du Gouvernement du Canada.

Certains noms cités dans ce livre furent altérés
afin de préserver leur intimité.

Table des matières

Évènements Entourant Mon Premier Séjour dans un Pensionnat en 1952 xi

Introduction 1

Ma Petite Enfance en Famille 5

Mon Entrée au Pensionnat St-Joseph 13

Des Numéros en Guise de Noms 21

La Routine Quotidienne.............................. 23

Le Déracinement. 27

Le Pensionnat St-Joseph 30

Je Vivais Perpétuellement dans la Crainte des Sœurs Grises ... 44

Une Apparition..................................... 57

Une Autre Manifestation. 59

Un Séjour à l'Hôpital 61

Mes Amis 64

Des Activités à Longueur d'Année 68

Des Cérémonies Religieuses Particulières 74

La Tire, une Tradition Indienne 80

L'Île de la Mission 82

Six Étés Passés au Pensionnat 86

La Visite de Nos Parents 90

Scolarité 94

Emménagement à Breynat Hall 100

Mon Premier Séjour en Famille. 105

Nos Valeurs Traditionnelles........................... 121

Yellowknife, et Quelle Expérience ce Fut. 125

De Retour à Breynat Hall 132

La Voie de la Rédemption............................. 147

L'Internat Lapointe 151

L'Église Catholique et les Autochtones 157

Observations Communautaires. 165

Troisième Phénomène................................ 167

Troubles de Comportement 171
Comportement Social et la Famille.................... 185
Les Dirigeants Autochtones......................... 187
La Loi sur les Indiens 191
Les Chamans...................................... 196
Les Contrecoups Néfastes........................... 199
De Bonne Foi 202
Recours aux Forces Supérieures...................... 207
Ressources Disponibles 212
Récapitulation.................................... 214
Conclusion 220
Renvois 223

Évènements Entourant Mon Premier Séjour dans un Pensionnat en 1952

- Les Dénés pratiquaient la chasse, la pêche et le piégeage depuis les temps immémoriaux.
- Le Gouvernement s'appropria de nos terres tandis que nous, les Dénés, désirions les partager avec les nouveaux venus. Lors du 8ᵉ traité (l899-l900) et du 11ᵉ traité (1921), il accorda aux Dénés des articles de base, des services médicaux et sociaux de même que cinq dollars par jour à chacun annuellement avec un supplément aux chefs. Plusieurs de ses promesses ne furent pas tenues, ce qui entraîna des revendications territoriales qui ont encore cours aujourd'hui.
- En 1920 et 1937, les Dénés protestèrent vigoureusement contre l'appropriation de leur territoire ancestral par les Blancs. Ils demandèrent au gouvernement de respecter ses engagements lors de la signature du 8ᵉ traité. Ils contestèrent de même la Loi sur les Oiseaux Migrateurs et la nouvelle réglementation entourant la chasse. Le Gouvernement rétorqua en créant six réserves fauniques à travers le territoire des Dénés de 1923 à 1938. Elles furent abolies entre 1953 et 1955. Tout ce que les Dénés désiraient c'était de chasser, pêcher et faire du piégeage sur leurs territoires à l'instar de leurs ancêtres qui avaient fait de la sorte pendant des siècles.
- Les premiers postes de télévision au Canada commencent à diffuser à Montréal et Toronto.

- L'industrialisation au sud des Territoires du Nord-Ouest et partout à travers le monde progresse à plein pouvoir.
- Louis St-Laurent dirigeait le pays en tant que premier ministre.
- Le Gouverneur général du Canada à l'époque était le Vicomte Alexander de Tunis.
- Mise en place de la pension de sécurité de vieillesse.
- En 1952, le titre royal changea. Le souverain du Royaume-Uni est désigné le Roi du Canada. La même année, le 6 février, le roi George V1 s'éteint dans son sommeil. La reine Elizabeth de Windsor monte sur le trône et devient la chef du Commonwealth en 1953.
- Les affaires gouvernementales et commerciales prospérèrent au sud des Territoires du Nord-Ouest. Dans le Denendeh, à l'ouest, un développement minier est établi et s'ensuit la découverte d'un gisement pétrolier à Norman Wells. La traite des fourrures est encore très florissante avec la Compagnie de la Baie d'Hudson.
- Le Pape Pie X11 fut le directeur spirituel de l'Église Catholique de 1939 à 1958.
- Monseigneur Joseph Trocellier est l'évêque du district de Mackenzie dans les Territoires du Nord-Ouest.

Introduction

J'ai connu la torture comme bon nombre d'entre nous, Indiens, l'ont subie dans les pensionnats tenus par les communautés religieuses à travers le Canada. Je m'appelle Alice Blondin. J'ignorais ce qui m'arrivait lorsque j'ai été ravie de mes bons parents. J'ai été forcée de déménager loin de chez moi dans un endroit entouré d'étrangers. C'était en 1952 et je n'avais que quatre ans. Pendant six longues années, le gouvernement m'a abandonnée dans ce lieu. Ils m'ont plaquée là sans aucune explication—à moi, mes parents, à mes frères et sœurs. Personne ne m'a dit quoi que ce soit quand j'ai été délaissée au pensionnat année après année, été après été. Ce n'est que quelques années plus tard que j'ai découvert que mes parents étaient encore vivants. Ce livre est en quelque sorte une façon de reprendre possession de tout mon être après des années de sévices, car on dit que la vérité rend libre.

J'ai été séquestrée dans les pensionnats religieux jusqu'en 1959. Pendant toutes ces années, j'ai été profondément bouleversée, loin de chez moi. C'était à l'intérieur d'un programme financé par l'État, sous la gouverne de l'Église Catholique, par lequel on arrachait les enfants de force à leurs familles afin de les soustraire de l'influence de leurs parents en vue de les « civiliser ».

Ce fut pour moi le début du processus d'endoctrinement et d'assimilation en entrant pour la première fois dans un pensionnat dirigé par les Sœurs Grises pour faire l'apprentissage de bonnes et mauvaises choses. Je n'étais qu'une toute petite fille qui ne parlait que la langue du clan des Esclaves tout comme mes parents. En raison de la barrière linguistique, j'ai été meurtrie, battue, frappée, maltraitée et injuriée entre autres. J'ai été traumatisée pendant des années et des années, la blessure enfouie dans mon subconscient à mon insu, jusqu'à ce qu'elle émergea dans ma vie d'adulte. Je souffrais encore plus alors que je cherchais à me libérer du traumatisme de mes premières années au pensionnat et de l'éducation que j'avais reçue. Tous ces mauvais traitements infligés par les Sœurs Grises, spécialement à l'âge de quatre ans, en raison du fait que je ne pouvais pas les comprendre; je honnis le système qui a volé mon enfance. Personne n'est venu à mon secours.

La vie dans une institution était bien différente de celle que nous vivions en famille. Mon frère, ma sœur et moi étions séparés les uns des autres. L'attitude des Sœurs Grises était complètement à l'opposé de celle de mes parents dans la manière de m'élever. Le rôle du père pendant mes années passées au pensionnat était totalement absent.

Les Autochtones ont décrit la détresse qu'ils ont connue lors de leur séjour dans les pensionnats par le biais de la Fondation pour la Réconciliation des Autochtones. Les élèves ayant autrefois séjourné dans ces pensionnats ont témoigné de la brutalité et de la violence subies aux mains des dirigeants, d'autant plus qu'ils avaient été enlevés de force de leurs parents. Ce processus perdura approximativement de 1840 à 1970, visant à faire de nous des êtres « civilisés ». Plusieurs jeunes retournèrent dans leur foyer avec leur lot d'afflictions dont ils n'avaient pu se libérer ainsi que les comportements négatifs dont ils avaient fait l'apprentissage. Ces mêmes pensionnaires transmirent à leurs propres enfants ces comportements irrationnels qu'ils avaient acquis au pensionnat. Ce genre de comportement eut un impact négatif dans les différentes communautés provoquant un effet cyclique d'une génération à l'autre. Ces abus issus des années passées dans les pensionnats n'ayant jamais été traités furent amplifiés par la dynamique familiale et communautaire, alourdis par la pauvreté et les conditions de sur-peuplement et de promiscuité au sein des familles.

Plusieurs communautés des Premières Nations luttent encore avec ces problèmes en dépit de l'aide apportée par les différents groupements sociaux et des fonds gouvernementaux. De nos jours, plus de 80 000 ressortissants autochtones ayant fréquenté les pensionnats sont encore vivants. J'espère sincèrement que les indemnisations financières du gouvernement fédéral concernant les pensionnats seront une réponse suffisante aux abus auxquels ont survécu plusieurs d'entre nous. Cependant nombreux furent ceux qui n'ont pu traverser ces épreuves.

Ma Petite Enfance en Famille

Je me souviens de certaines choses au sujet de ma famille avant d'aller au pensionnat. Je me rappelle qu'un soir on voyageait en traîneau tiré par des chiens, admirant les aurores boréales alors que j'étais couchée tout près de ma mère, Eliza, emmitonnée dans un sac de couchage. Mon père, Edward Blondin, se tenait derrière le traîneau aiguillonnant les chiens à courir plus vite avec leur queue relevée dans les airs. Tout était calme, si ce n'était que les chiens qui haletaient et le traîneau qui glissait sur la neige.

J'ai souvenir qu'il y eut une commotion lorsque nous sommes parvenus à une large fissure sur le lac glacé. Durant l'hiver, il se forme sur le Grand lac de l'Ours de hautes arêtes de glace à l'embouchure des rivières et que le lac se lézarde. Papa se mit à crier pour faire arrêter les chiens, hâlant sur le cordeau derrière le traîneau.

« *Whoa, gee, gee, whoa!* » s'écria-t-il à s'époumoner tout en tendant le cordeau. Il tirait et tirait de toutes ses forces afin d'empêcher que les chiens ne tombent dans l'eau glacée, entraînant à leur suite le traîneau et tout son contenu. Somme toute, nous avons survécu à cet incident en plein cœur de l'hiver.

Je me rappelle que nous sommes allés à Echo Bay Mines à Port Radium pour nous approvisionner à l'intendance et visiter des amis au bâtiment-dortoir. Durant l'été, nous voyagions en bateau mû par un moteur quelque peu archaïque. Mon père devait tirer sur un câble pour l'actionner. J'étais ravie lorsqu'on retrouvait le calme après que mon père éteignait le moteur et qu'on accostait. Je montais alors en courant les marches qui menaient au bâtiment-dortoir ou au magasin. Mon père connaissait beaucoup de gens qui s'y trouvaient. Un de ses amis possédait un plein tiroir d'amandes qu'il partageait avec nous. C'était la première fois que je goûtais à des amandes. Je n'oublierai jamais combien elles étaient savoureuses. Quel délice!

Il y avait une mine d'uranium à Port Radium nommée Eldorado Mine sur la rive nord-est du Grand lac de l'Ours. On faisait l'extraction de la pechblende—un minerai renfermant une forte proportion d'uranium. D'ailleurs, ce fut cet uranium qui a servi à la fabrication des premières bombes nucléaires qui furent larguées sur Nagasaki et Hiroshima au Japon. La contamination due à cette mine soulève encore de nos jours un problème environnemental. Plusieurs Dénés originaires de Déliné moururent du cancer après y avoir travaillé comme manœuvres, transportant de la pechblende dans une longue file de mules de la mine jusqu'au cargo *Radium Gilbert* en route vers le Sud. Des membres de ma famille participèrent à cette activité. La mine a cessé toute opération il y a longtemps et des hardes de caribous errent tout autour présentement.

Ma famille vivait selon la manière traditionnelle des Dénés : chassant, piégeant, cueillant des baies, pêchant et vivant des produits de la terre, survivant au milieu des saisons les plus rigoureuses que le Nord avait à offrir, comme l'ont fait les Dénés pendant des milliers d'années. On pourrait difficilement trouver un peuple plus robuste et autonome, mais ses membres furent affligés après la venue d'explorateurs blancs et de missionnaires dans la région de Sahtu (Grand Ours) apportant avec eux des infections auxquelles les Dénés n'avaient jamais été exposés, telles que la grippe, la rougeole, la varicelle, la variole, la poliomyélite et la tuberculose. Il y eut beaucoup de morts, incluant des devins possédant des dons particuliers de guérison. Notre peuple n'avait jamais connu rien de tel auparavant. Les devins dénés pouvaient soigner bien des maladies, mais ils étaient impuissants face à ces nouveaux fléaux. Les Anciens nous relataient encore des incidents ayant eu écho lors de la grande épidémie de 1928, alors qu'il n'y avait plus suffisamment de vivants pour enterrer les morts. Mon père vaquait sans relâche à construire des cercueils. Des familles entières furent décimées et plusieurs enfants devinrent orphelins. Mes parents prirent sur eux d'élever ces jeunes enfants. La seule manière d'échapper à l'épidémie était de quitter les lieux et de vivre éloigné les uns des autres. Ce que firent mes parents avant ma naissance à Cameron Bay. Voilà le monde dont ils ont hérité, mais grâce à leurs ressources intérieures, ils survécurent.

Je garderai longtemps à l'esprit ces faits divers avant mon entrée au pensionnat. Mon père pouvait imiter le cri des orignaux, des corbeaux et des ondatras. Il fabriquait des raquettes avec le cuir d'animaux et d'autres produits qu'il trouvait dans la nature. Je garde de bons souvenirs de la gentillesse de mes parents, leur joie de vivre et leurs précieux conseils qui me furent très utiles.

Papa ne chômait pas. Il faisait des travaux divers auprès de plusieurs compagnies. Ma mère était une sage-femme. Je suis née le 1er janvier 1948 dans une masure à Cameron Bay, un petit village près de Port Radium. À l'extérieur, le thermomètre indiquait moins 40 degrés. Il y avait des médecins qui se rendaient en avion à Port Radium de temps à autre, mais ma mère a accouché de moi avec l'aide d'une autre sage-femme.

Cameron Bay n'existe plus en tant que communauté au relais. En ce temps-là, il n'y avait que quelques maisons, un poste de la GRC, des fonctionnaires qui autorisaient des permis d'exploration et de prospection. (Mon frère Joe m'a signalé qu'en 2007 les explorations ont repris en pleine force).

Quand j'avais 2 ou 3 ans, mon frère George m'a raconté que je pouvais manger à moi seule tout un poisson et ôter les arêtes ce faisant. Il relata qu'ils me taquinaient tout en cherchant à en dérober une portion de mon assiette. Je poussais alors de grands cris, se plaisait-il à souligner. J'excellais à dévorer le poisson à ce très bas âge et gare à ceux qui auraient osé en chaparder la moindre parcelle. C'était moi qui régentais!

Le Grand lac de l'Ours regorge de beaucoup de poissons. On y retrouve entre autres l'ombre, la truite, le poisson blanc, le hareng, le ouananiche, le brochet, l'inconnu. Ils sont de différentes grosseurs et chacun a une saveur spécifique. Ils peuvent être apprêtés de plusieurs façons : grillés, bouillis, séchés sur vigneaux, cuits sur le feu ou au four. On ne se lasse jamais de déguster du poisson. C'est une nourriture saine.

Je me souviens alors que j'étais allongée près de ma mère, sur des couvertes, la tête appuyée sur ses genoux. Gentiment, elle me lissait les cheveux avec un peigne fin et tout à côté un bassin émaillé blanc, me dépouillant de ces vilaines petites bestioles qui avaient trouvé refuge dans ma toison. À cette époque, il n'existait pas de solution ou de vinaigre, il fallait enlever ces parasites le plus tôt possible. Quoi qu'il en soit, j'adorais ces moments alors que j'étais appuyée tout doucement contre le ventre de ma mère, pendant qu'elle s'adonnait à cette tâche. Un bien-être dont j'aurais aimé qu'il perdure des heures et des heures.

Moi ainsi que ma sœur Muriel allions bientôt être enlevées à nos parents pour être envoyées dans un pensionnat dirigé par les autorités religieuses. Nous allions être éloignées selon le plan tracé par le gouvernement afin d'assimiler les enfants autochtones et les intégrer à la société des Blancs. Mes parents furent incapables d'intervenir afin de s'opposer à la réglementation établie par les fonctionnaires et soutenue par les églises. Mon frère aîné George fut dirigé au pensionnat de Fort Providence et y demeura pendant quatre ans. Le système scolaire était déficient, les livres faisaient défaut.

La langue s'est avérée toujours être une barrière en ce temps-là pour les enfants autochtones qui étaient admis dans les pensionnats pour la première fois. Même si j'avais les mots justes, il me serait impossible de décrire véritablement les émotions qu'on peut ressentir au fait d'être déracinées et extirpées de notre famille pour être déportées comme ce fut le cas pour moi et ma sœur au Pensionnat St-Joseph à Fort Resolution en 1952. Mes parents ainsi que tous les autres parents dénés n'avaient plus le pouvoir d'élever leurs propres enfants. Ce qui aggravait les choses c'était que nous étions absents de nos familles pendant de si longues périodes. Quant à ma sœur cadette, Be'sha, ils se sont opposés à son départ, désobéissant ainsi aux consignes; alors, ils l'ont cachée dans la toundra pendant longtemps. Cela avait dû être pénible de se faire enlever deux enfants à la fois. Imaginez un peu ce que l'on peut ressentir de perdre de vue ses propres enfants pendant six ans. Ma mère m'a raconté plus tard que nous lui avions manqué beaucoup et qu'elle avait déploré notre absence.

Mes parents étaient bien appréciés des Dénés partout à travers le territoire. Mon père est mentionné dans quatre livres historiques sur le Nord. Il est cité dans les livres de mon frère George Blondin, *When The World Was New*—portant sur les pouvoirs médicinaux—et *Yamoria, the Lawmaker*. Le livre de Frederick B. Watt, intitulé *Great Bear*, renferme une magnifique description de ce dernier. Il raconte comment mon père, Edward Blondin, croisa un prospecteur et un ami de longue date, Ed De Melt que j'ai eu l'occasion de rencontrer plus tard. Voici un extrait de *Great Bear*[1] :

Entre-temps, la réponse à nos besoins essentiels s'amena vers nous en venant de la baie en tintant. De toutes petites taches au loin s'avérèrent être Edward Blondin et son joyeux attelage de chiens et tirant à sa suite l'infortuné Stokely dans sa traîne sauvage avec ses maigres effets. La traîne sauvage de l'Indien était chargée de viande de caribou qu'il avait dénichée dans sa cache à Conjuror Bay.

Ed De Melt nous a reçus à souper ce soir-là et l'arôme des steaks de caribou était légèrement moins envoûtant que le fait de les manger. La compagnie d'Edward Blondin qui s'était lié d'amitié avec De Melt, était encore plus agréable. L'Indien possédait une dignité sereine qui semblait nullement perturbée par sa rencontre avec des Blancs. Le secret de son amitié reposait sur l'honnêteté. Une tentative quelconque d'exploiter cette amitié produisait chez lui une componction naturelle et une retenue modérée.

J'avais été intrigué par Blondin le premier soir qu'il s'était amené dans l'anse après une longue randonnée en traîne sauvage. Il faisait certainement -30 degrés et un repas nous attendait. Toutefois, le premier geste qu'il posa fut d'accorder le plus grand soin à ses chiens. Il avait choisi un endroit à l'abri pour la nuit, s'assurant qu'ils étaient éloignés les uns des autres pour éviter qu'ils se chamaillent et que la chaîne qui les retenait soit assez longue pour leur permettre de se trouver un emplacement convenable afin de se pelotonner dans la neige. Alors qu'il s'affairait, chaque bête levait la tête comme un animal de compagnie à l'égard d'un maître soucieux. Je découvrais pour la première fois les chiens de traîneau, tout particulièrement leur relation avec leur maître indien. Je ne fus pas étonné d'apprendre que personne, à la réserve de mettre fin à une échauffourée, n'avait aperçu Edward fouettant ses chiens.

Pendant que l'attelage attendait patiemment—et d'un air assuré—Blondin saisi deux grosses truites de la traîne sauvage et les déposant sur le sol, les dépeça en trois sections avec sa hache. À chacun des cinq chiens, il distribua une portion égale. Puis Edward m'offrit la dernière portion. C'était un geste si naturel que je n'ai pas eu de difficulté à exprimer ma gratitude—bien que ce fut pour moi une expérience toute nouvelle d'être servi après qu'il se soit consacré à nourrir la meute de huskys. Cet incident marqua le début d'une longue amitié avec Edward. Ce fut également une occasion pour moi et Beck de goûter à une délicieuse bouillabaisse.

Dans les années 1990, mon neveu Ted Blondin se trouvait dans un club de golf attendant le signal de son départ pour jouer, lorsque son nom fut annoncé par le haut-parleur, un homme âgé s'approcha de lui et lui demanda s'il connaissait « squeaky » Blondin (le surnom de mon père). Ted lui répondit que c'était son grand-père. L'homme en question était un ancien agent de la GRC à Cameron Bay, et il se rappelait très bien mon père. Ted lui relata que son grand-père était décédé et ils échangèrent des souvenirs à son sujet.

Plusieurs incidents de la sorte me confirment que mes parents avaient beaucoup d'amis et que leur hospitalité était sans bornes, sauvant la vie d'un et accueillant plusieurs à partager les repas. Mes parents ont élevé plusieurs autres enfants à une époque ou à une autre—Louie, Mary Ann et Charlie, pour n'en nommer que quelques uns. Je les considérais comme ma fratrie, car ils ont gardé des contacts toute leur vie avec mes parents.

Mon père, Edward Blondin, un Déné Sahtúot'ine, naquit en 1893 et s'est éteint à l'âge de 80 ans. Ma mère, Eliza Blondin, appartenant à la tribu des Platscôtés-de-chiens (Tlicho), est née Laysa Tauye en 1911. Elle nous a quittés à l'âge de 82 ans. Ma mère était une sage-femme qui a mis au monde plusieurs enfants; un savoir-faire qu'elle a appris en ayant assisté à plusieurs naissances dès son jeune âge. La profession de sage-femme se transmet d'une génération à l'autre parmi les femmes. Outre les accouchements auxquels les jeunes filles sont initiées, il y a également l'écoulement sanguin du cycle lunaire (les menstruations) et l'apparition des autres caractères sexuels, le développement des seins et la capacité de procréer. Tout cela faisait partie de la vie des jeunes filles dénées, à une époque.

Alice and daughter, Heather in Iqaaluit, NT.

À la naissance, lorsqu'un bébé se présentait par le siège, ma mère savait comment le retourner en massant le ventre. Ainsi, alors que j'étais enceinte de Heather, la toute dernière, et que j'étais sur le point d'accoucher, elle se présenta par le siège. Dès qu'elle apprit la nouvelle, ma mère arriva de Frobisher Bay (maintenant Iqaluit) par avion afin d'apporter son aide. Elle me massa gentiment le ventre plusieurs fois par jour, mais sans succès. Alors, j'ai été envoyée à Montréal en avion aménagé pour le transport des patients à l'hôpital. Une fois sur les lieux, j'ai fait part au médecin et à l'infirmière de la technique utilisée par ma mère. Ainsi donc, tous les trois, nous nous sommes mis à me masser le ventre et ma petite chérie s'est présentée tête première et j'ai pu accoucher normalement.

Ma mère s'était rendue aussi à Yellowknife pour être à mes côtés peu après la naissance de ma fille aînée, Pamela. Quelle bénédiction ce fut d'avoir comme mère une personne expérimentée qui semait tout autour la joie de vivre. Mes deux parents étaient des gens agréables qui faisaient bon ménage ensemble. C'est ce que je souhaite de tout cœur—de vivre en harmonie et dans la paix.

Mon Entrée au Pensionnat St-Joseph

Fort Resolution, T.N.O. Église, Presbytère, Pensionnat Saint-Joseph, Hôpital. Archives provinciale de l'Alberta OB 767

Ma sœur Muriel et moi nous nous sommes retrouvées ensemble dans un petit avion après avoir été ravies de notre famille. J'étais trop jeune pour m'élever contre cette injustice et ma mère venait probablement tout juste de cesser de me nourrir au sein. Je n'avais que 4 ans en 1952, une petite Dénée de Cameron Bay, étant amenée loin dans le Sud. Nous avions laissé derrière nos parents, les chiens huskys, notre masure et toutes les bonnes choses que je connaissais comme petite fille. Ce fut le début de plusieurs changements qui allaient marquer ma vie durant.

Je me souviens que je pleurais parce ce que je n'avais plus mes parents : « Ahmaaaa! Ahmaaa! (maman) et « Ahbaaa » (papa). Où étaient-ils? Bien que Muriel fut à mes côtés, je me sentais seule. Le pilote pensait probablement que j'étais l'enfant la plus éplorée qu'il n'avait jamais vue. L'avion se posa à Yellowknife où nous avons passé la nuit. Muriel se souvient que nous sommes demeurées avec des amis de mes parents. Je n'ai aucun souvenir de ce moment du voyage, des gens que nous y avons rencontrés ou encore comment nous nous sommes rendues chez eux. Mais je sais maintenant qu'on a fait également une rafle d'enfants autour de Wool Bay, près de Yellowknife. Les parents déploraient la perte de leurs enfants, et les campements étaient silencieux et déserts comme si quelqu'un venait de mourir, après que la barge eu pris le large. Les enfants étaient blottis les uns contre les autres sous des couvertes de laine d'un gris terne pour se garder au chaud en traversant le Grand lac des Esclaves.

Le lendemain, nous avons continué notre voyage de Yellowknife vers Fort Resolution. Je me souviens que notre envolée avait été très bruyante. À notre descente à Fort Resolution, des étrangers sont venus à notre rencontre. Mes parents n'étaient pas présents. Ils nous ont transportées au pensionnat en camion. Ce n'était pas un voyage d'agrément pour Muriel et moi, mais le début de notre séquestration dans un pensionnat pendant sept ou huit ans à venir.

Je n'ai jamais su pourquoi nous avions été enlevées ou encore la raison pour laquelle nous allions fréquenter une école confessionnelle dirigée par les religieuses du diocèse catholique de Mackenzie, et dont le gouvernement assurait le maigre financement. Muriel m'a raconté que papa avait reçu une lettre, sans doute du Ministère du Nord et des Affaires indiennes qui avait un bureau à Cameron Bay, stipulant que nous devions aller à l'école. Le prêtre tenait les registres de naissance de tous les enfants nouveaux nés Dénés et le gouvernement dressait également une liste de tous les Indiens inscrits. Fort Résolution est situé dans une presqu'île (à 160 mètres au dessus du niveau de la mer) au sud de la rivière des Esclaves sur la rive méridionale du Grand lac des Esclaves. La communauté est à 61 degrés de latitude nord et à 113 degrés de longitude ouest. Par la voie des airs, elle se trouve à 153 km de Yellowknife.

La résidence où je venais d'arriver était le plus gros bâtiment que je n'avais jamais vu. À l'entrée, il y avait un parloir entouré de fenêtres toutes givrées. Les trois étrangers venus à notre rencontre étaient vêtus d'une manière très biscornue. L'un d'eux était un prêtre, les deux autres étaient des Sœurs Grises. Le prêtre portait une soutane d'un noir d'encre, les sœurs étaient vêtues d'un costume brun foncé. Leur visage était encastré d'un bandeau noir et rigide en forme de cœur. Et sur la tête, une coiffe munie d'une collerette. Ils semblaient avoir surgi d'une autre planète. J'étais pétrifiée bien qu'ils me sourissent. Ils parlaient une langue qui m'était inconnue.

« Où sont Ahmaa et Ahbaa? Pourquoi est-ce que je n'entends plus les chiens de traîneau japper? »

J'ai pleuré et sangloté jusqu'à ce qu'un membre du personnel vêtu d'un étrange costume me réprimanda. J'ai été frappée, ignorant pourquoi on m'infligeait des coups. Plus on me malmenait, plus je pleurais. J'ai été cravachée jusqu'au moment où je fus gagnée par la peur et je me suis tue.

J'avais quitté la fierté de ma famille pour pénétrer dans un milieu religieux farci de consignes, de règlements et de directives. Il me fallait désormais considérer les Sœurs Grises comme étant un substitut de mes parents. Je vivais constamment dans la crainte d'être grondée. Je trouvais les Sœurs très froides et indifférentes, en comparaison avec mes parents qui étaient aimants. Les Sœurs ne ressemblaient nullement à ma famille.

Parce que je n'avais que quatre ans et si jeune, j'étais postée tout juste à côté de la Sœur responsable du dortoir. Je n'oublierai jamais les Sœurs qui hurlaient et criaillaient après moi pour que je me taise. Elles me rouaient de coups et me châtiaient, mais je ne pouvais pas les comprendre. La crainte du châtiment m'habitait constamment. « Qu'ai-je fait pour mériter cela? Pourquoi suis-je maltraitée? » Je l'ignorais, après avoir connu la tendresse et l'affection de mes parents.

Les Sœurs se comportaient différemment et s'habillaient autrement que les gens ordinaires. Elles portaient constamment une croix sur la poitrine. Quand elles déambulaient, leur longue robe froufroutait au-dessus de leurs gros souliers noirs qui brillaient comme un sou neuf. Après notre venue, on nous a conduits dans la section des plus jeunes où nous attendaient environ cinquante d'entre elles.

Elles nous dévoraient toutes des yeux, moi et ma sœur Muriel. L'une d'elles, Emelda King, se souvenait de l'arrivée de deux petites filles endimanchées de leurs plus beaux parkas ornés de fourrure, de mukluks ainsi que des mitaines de même agencement brodées de fleurs et de feuilles. Nos hauts-de-chausses n'étaient pas aussi fastueux, mais ils étaient doublés de peaux de lapin à l'intérieur pour nous garder au chaud.

Les précieux vêtements, dont maman avait travaillé si fort pour les confectionner, furent sans doute jetés par les Sœurs, car je ne les ai jamais revus et elles emportèrent ma valise en cuir tanné retenue par des sangles. Tous mes vêtements traditionnels ont disparu et ont été remplacés par des ensembles en coton distribués par le personnel du pensionnat.

Rosa Bishop, une bonne amie à moi, m'a raconté que j'avais mouillé et sali mes pantalons lorsque je suis arrivée dans la section des petites filles. Cette image de ma première journée au pensionnat était restée dans l'esprit de Rosa pendant des années. J'avais peur, j'étais mouillée. Je n'avais pu me soulager lors du voyage en avion parce ce que je ne pouvais m'exprimer encore dans leur langue anglaise. Je n'avais personne à qui me confier. Ma mère, mon seul soutien était loin. J'avais eu la douleur de la perdre.

Après nous avoir déshabillées, les Soeurs se mirent à nous laver, Muriel et moi, dans une cuve. Elles nous maniaient rudement. Elles étaient méchantes. Les Sœurs parlaient d'une voix aiguë que je ne pouvais pas comprendre. Elles m'ont fait une toilette en règle sur tout le corps avec une brosse à récurer. Elles frottèrent sans arrêt sous les aisselles et sur mes parties intimes pendant que je pleurais, hurlant de douleur.

Lorsque le moment est venu de me laver les cheveux, ce fut pire. Les Sœurs me tirèrent les cheveux avec rudesse tout en me plongeant la tête dans l'eau et hurlant des choses que je ne pouvais pas saisir.

Elles me détergèrent les cheveux tout en m'étrillant. Elles me frottèrent la tête avec quelque chose de très dur et grattèrent et grattèrent avec leurs ongles, entamant profondément mon cuir chevelu. Elles ciraient de rage parce que je pleurais, en ce premier jour au pensionnat.

Après m'avoir débarbouillée, elles me dépouillèrent les cheveux avec une solution si nauséabonde que j'en avais des haut-le-cœur et me rendit malade. Je n'ai jamais tant souffert. Elles me coupèrent par la suite les cheveux en balai et très ras dans le cou. Pendant tout ce temps, elles aboyaient leurs commandements militaires au vu et au su de toutes les autres jeunes filles, témoins de leurs gestes dégradants et humiliants.

Ma mère et mon père me manquaient terriblement après une séparation si douloureuse et déchirante. Je me demandais où j'étais. J'avais besoin d'être aimée, prise dans les bras. Les Sœurs me traitaient avec froideur qui tenait du mépris. Je souffrais cruellement aux mains de ces femmes implacables, intolérantes, rigides et sévères. Je peinais à les comprendre.

Elles me donnèrent de nouveaux vêtements à porter : une robe, un tablier, un jupon, des culottes bouffantes, des bas avec des jarretières et des souliers. J'ai eu de la difficulté à m'accommoder à tous ces nouveaux vêtements, tout particulièrement à la bande élastique qui cernait les bas. Enfin un mouchoir de batiste pour me débarrasser de mes mucosités.

On m'a indiqué où se trouvaient les toilettes extérieures au fond de la cour, derrière l'immense bâtiment : une rangée de trous, voilà tout ce que c'était pour les petites filles. On m'a prévenue que je ne devais en aucun cas utiliser les cabinets d'aisance des grandes filles de l'autre côté. Je ne comprenais pas pourquoi; je ne faisais qu'imiter mes autres compagnes.

J'étais sous la responsabilité d'une fille plus âgée parce que j'étais si jeune. Les Sœurs me réprimandaient constamment et je ne devais pas adresser la parole à quiconque à moins d'être interpellée. J'étais transie de peur. La peur c'est quelque chose d'effroyable, une sensation atroce dont le seul souvenir me donne encore aujourd'hui des frissons d'angoisse.

J'étais trop jeune pour aller à l'école, alors j'accompagnais les Sœurs dans leurs déplacements; j'étais comme un petit chiot, je les suivais partout, les écoutant échanger entre elles en français. Elles parlaient rarement l'anglais. Quelle triste période ai-je vécue, seule, taciturne, amère, songeant à ma patrie perdue. Elles auraient voulu que je m'exprime en anglais, mais j'en étais incapable.

Je ne pouvais pas me faire comprendre. J'étais en paix pourvu que je ne parlasse pas, pendant qu'elles baratinaient en français. J'ai appris très tôt à être sage pendant que les autres jeunes filles allaient à l'école. Cela importait peu que je ne puisse comprendre ces langues qui ne m'étaient pas familières.

Il me fallait obéir, c'était le règlement. Les règlements semblaient absurdes, mais semble-t-il, ils nous façonnaient. Les Sœurs me faisaient constamment des reproches pour m'instiguer la honte ou le regret afin que je m'amende et me corrige. Les Sœurs n'avaient de cesse de me tancer, de me réprimander et de me menacer. Elles ne faisaient guère montre de patience à mon endroit.

Elles ne faisaient pas preuve d'intelligence ou de tolérance. Elles ne pouvaient pas admettre chez les autres une manière de penser ou d'agir différente de celle qu'elles adoptaient pour elles-mêmes. On m'adressait des réprimandes avec autorité et sévérité, jour après jour, afin de m'amener à me redresser et me réformer. J'étais soumise à des brimades souvent aggravées de brutalité afin que je me conforme aux règlements. « Qu'est-ce qu'elles avaient contre moi pour me maltraiter ainsi? ». Les Sœurs faisaient régner la discipline d'une main de fer au pensionnat, une discipline sévère et rigoureuse qui n'améliorait peu la vie des élèves. Nous ne pouvions pas laisser voir nos émotions ou pleurer, sinon nous étions grondées. Je n'avais que quatre ans et bien délicate, mais je devais me soumettre à leur manière de faire. Il fallait que je me retienne de pleurer, bien que j'éprouvasse un chagrin inexprimable. Mais j'ai appris à pleurer en silence pendant plusieurs lunes. Mes compagnes me disaient en platcôté-de-chien : « ne ze le » (ne pleure pas). Voilà des mots que je pouvais comprendre.

Je me demande combien d'enfants autochtones ont pris l'habitude de pleurer en silence au nom de la « civilisation ». Mes parents avaient fait preuve de beaucoup d'amour et d'affection pour moi et je regrettais leur absence. Je m'ennuyais de ne plus partager les repas avec eux, le pemmican et la cuisine de ma mère. Elle était si douce et j'aimais me blottir contre elle. Les joies enfantines, les promenades en traîne sauvage et les jappements des chiens me manquaient. J'ai pleuré bien souvent et j'ai souffert seule en silence de peur d'être réprimandée.

Le réfectoire qui se trouvait à l'étage était muni de tables et de bancs. Les grandes filles étaient assises au fond de la pièce. J'ai appris à manger des aliments auxquels je n'étais pas accoutumée, comme des pois en conserve, des navets, des fèves au lard, du pain, des mets étranges, du poisson qui avait mauvais goût parce qu'il était faisandé et putréfié. Nous devions manger ce qui nous était offert, que ça nous plaise ou non. Il n'y avait pas d'autre choix. Les punitions abondaient : être privées d'assister à une séance de cinéma, moisir debout dans un coin, rouer de coups, manger notre vomissure, bastonner et ainsi de suite. J'ai pris du temps à comprendre les manigances en sous-main qui avaient cours dans le pensionnat et qui faisaient naître chez nous des troubles de comportement.

Il y avait tellement de langues étrangères qui étaient parlées autour de moi, l'anglais, le français, le latin, que je m'y perdais. Abstraction faite de ma sœur, Muriel, les jeunes filles de ma section ne parlaient pas notre dialecte, c'est-à-dire celui des Esclaves. Nous étions les seules, parmi la cinquantaine de filles, qui parlaient l'esclave. Toutes les autres appartenaient à la tribu des Platscôtés-de-chiens ou des Chipewyans.

Je me sentais bien seule et apeurée. Je vivais constamment dans la hantise d'être pourchassée. La peur me serrait, me saisissait et me glaçait si fort que je cherchais un refuge où me cacher. Je tentais de me dérober aux regards des Sœurs, devenir invisible, tellement j'étais malheureuse et déprimée. À quatre ans, je n'avais pas d'amour, mais la cruauté en partage.

Des Numéros en Guise de Noms

On n'employait jamais nos noms. Les Sœurs numérotaient tout pour exercer un contrôle sévère sur nous. Chacune des jeunes filles avait un numéro qui lui était assigné et il tenait place de son nom. Nous étions appelées par notre numéro comme des prisonniers. J'ignorais pourquoi elles agissaient de la sorte, mais elles avaient recours à des numéros pour tout.

Il fallait toujours se souvenir du numéro qui nous avait été attribué, sinon nous pourrions être conspuées par les vieilles ganaches de Sœurs Grises. Des numéros étaient accolés sur les vêtements, les serviettes, les brosses à dents dont on faisait usage et sur les souliers et les bottes que nous portions de manière à identifier leur propriétaire.

Nous étions interpellées par nos numéros en tout temps. Les sœurs criaient : « 39, 3, où êtes-vous? » ou encore, « 25, viens ici immédiatement! ». Il m'a fallu beaucoup de temps pour comprendre pourquoi les Sœurs procédaient de la sorte parce que mes parents m'avaient toujours appelée Ali et il me semble que c'est plus normal. Je ne savais plus qui j'étais, je ne me reconnaissais plus. J'étais toute perdue.

Quand notre linge revenait de la buanderie, on criait encore notre numéro et on allait récupérer notre trousseau. Grâce au ciel, des filles plus âgées étaient assignées pour venir en aide aux plus jeunes. Cependant, malgré cela, je me retrouvais souvent dans le pétrin. J'ai dû être un lourd fardeau pour mon ange gardien, car je ne savais pas compter.

Naturellement, c'était logique de faire appel au système de numérotage pour un large groupe comme nous, mais il me paraissait plus censé qu'on m'appelât par mon nom au lieu de « 25 ». C'était une autre façon de nous avilir, de nous humilier, de nous abaisser. Même si les Sœurs nous appelaient toujours par notre numéro, entre nous, les pensionnaires, on employait notre vrai nom.

Avant peu de temps, je savais par cœur mon numéro. C'était étrange qu'on soit adressées ainsi et je tremblais de tout mon être chaque fois que mon numéro était crié. Je m'interrogeais. « Qu'ai-je bien pu faire encore? ».

La Routine Quotidienne

Le dortoir me paraissait immense à l'âge tendre de quatre ans, spécialement le lit imposant de la sœur surveillante. Il était si haut que je pouvais à peine l'atteindre en levant mes mains. Les petites filles, au nombre de 50, dormaient toutes sur des couchettes identiques. La gigantesque pièce était divisée en son centre, par une cloison, pourvue de lavabos, départagée également de chaque côté par trois rangées de couchettes blanches. Une haute statuette de la Vierge montait la garde dans un coin. Les couchettes étaient de vétustes plumards d'époque en fer munies de ressorts. La literie était composée de deux draps en coton, d'une couverte de laine grise, d'un oreiller et d'un édredon. Nous ne pouvions pas nous servir de l'édredon pour nous couvrir la nuit. Il devait être proprement plié au pied de notre lit, puis au matin nous en recouvrions notre lit.

À chacune d'entre nous était assigné un lavabo, surmonté d'un petit miroir. Un peigne, un savon, une brosse à dents et une serviette avaient été octroyés à chaque élève. La pensionnaire qui voyait à mon bien-être, bonne et généreuse, m'aidait à faire ma toilette.

Quand je suis arrivée au pensionnat, j'étais si jeune que je dormais dans une couchette à côté de la Sœur responsable dont le lit était séparé du mien par un rideau. Cachée derrière le rideau, la Sœur ne pouvait nous voir, mais elle pouvait tout entendre. Sanglotant silencieusement, elle avait dû certainement percevoir mes pleurs. De mes larmes, je mouillais mon oreiller. Je faisais bien triste mine, comme un bonnet de nuit. Les sœurs n'avaient point de tendresse pour les pensionnaires éplorées. Venue l'heure du coucher, nous récitions toutes à l'unisson, nos prières, les mains jointes à genoux au pied du lit. De temps à autre, la Sœur surveillante surgissait de derrière le rideau dans un tapage incroyable, infligeant des sanctions à celles qui avaient été indisciplinées et réfractaires. Ah, la vie de cruauté mentale que j'ai connue, les mauvais traitements qui m'ont été infligés à un si jeune âge.

Mon lit n'était qu'une petite couchette. Le soir venu, je trouvais difficilement le sommeil sans la présence d'une mère attentive à tous nos petits besoins lorsqu'on est une jeune enfant, puis c'était la routine quotidienne, jour après jour. Nous agissions toujours de la même manière, nous répétions les mêmes habitudes de façon mécanique et irréfléchie. Lorsque la Sœur sonnait la cloche, le matin, c'était l'heure de se lever. On s'agenouillait au pied du lit pour la prière matutinale. Nous accomplissions cela tous les jours. Rien ne sortait du train-train des évènements ordinaires.

La nuit, nous n'utilisions pas les toilettes extérieures au fond de la cour; nous disposions de pots de chambre. J'ignore à ce jour qui avait la tâche ingrate de les vidanger.

Bien que je n'avais que quatre ans, je devais faire mon lit comme tout le monde. Heureusement, j'avais de l'aide de celle qui veillait sur moi et malheur à elle si elle s'empressait de prendre ma défense. Elle devait se hâter parce qu'il fallait qu'elle fasse aussi le sien avant de voler à mon secours. Nos lits devaient être faits à la perfection, les coins bien rentrés, à la manière militaire, impeccables, sans aucun pli sinon nous étions dans de beaux draps.

Si ce n'était pas accompli selon les normes de la Sœur surveillante, les draps volaient dans les airs pour se retrouver en tas sur le plancher. Nous devions tout recommencer sous les menaces de la Sœur qui se récriait de rage.

Trois années passèrent et la Sœur hurlait toujours : « Ce que vous pouvez être stupides! » — « Merci du compliment » susurraient en sous voix les plus vieilles. « Pourquoi vous ne m'écoutez pas? » grognait-elle. « Il y a encore une bosse ». « Arrangez-le comme il faut ». « Dépêchez-vous! ». « Quand vous aurez fini, je vais vérifier si tout est fait à la perfection, autrement je vais vous régler votre compte! ». Je tremblais de peur, blême et pâle. C'était devenu une obsession qui hantait même mon sommeil. Une préoccupation constante dont je ne parvenais pas à me libérer. Dieu qu'elles étaient acrimonieuses et malveillantes. Elles nous manoeuvraient à leur gré comme des marionnettes. Nous accomplissions les gestes à la manière inconsciente du somnambule. L'application machinale des règles créait chez nous une espèce d'automatisme involontaire. Quelle misérable existence nous vivions à force d'être morigénées et d'entendre ces paroles fielleuses. Leur mauvaise humeur se traduisait par des propos acerbes, un comportement agressif, parfois même méchant et haineux. On s'en prenait à nous pour des insignifiances, des peccadilles. Mai il ne fallait surtout pas s'insurger contre les ordres, faute de quoi, nous étions sanctionnées sévèrement.

La propreté devait régner au pensionnat. Depuis les planchers soigneusement cirés jusqu'aux rideaux de toile à carreaux verts. Tout brillait d'une propreté immaculée. Il ne fallait laisser aucune trace d'ordure, de crasse, de poussière ou de souillure. Nous cherchions autant que possible à garder nos vêtements propres. Nous portions toujours un tablier par-dessus notre robe. Nos cheveux devaient être lisses et soigneusement peignés. « La propreté du corps est parente de la propreté de l'âme », se plaisaient-elles à répéter à satiété.

Nous marchions toujours deux par deux pour nous rendre au réfectoire afin de prendre notre déjeuner : du gruau, des fèves au lard, du pain et du lait en poudre. Je me souviens qu'une fois on nous avait servi des œufs à la coque, mais je n'avais pas été capable de les manger à cause de l'odeur nauséabonde qui me montait au nez. J'avais donné le mien à ma compagne. Cependant, durant mon premier été passé au pensionnat, j'avais apporté mon aide à la cueillette des œufs du poulailler sur la propriété. Faisant le lien entre les deux, j'ai compris que les œufs venaient des poules.

Les Sœurs qui étaient responsables de la discipline exerçaient une surveillance martiale. Elles criaillaient leurs ordres en français. Je n'avais aucune idée de ce qu'elles disaient, mais je savais en raison de leurs voix aigres et de leurs gestes déplacés que quelque chose de grave venait de se passer. Parfois, elles étaient hystériques. Elles étaient incapables de se contenir et manquaient de patience. Leurs visages prenaient soudain un aspect implacable et fermé. Elles nous menaient la vie dure et nous rendaient malheureuses. Elles manquaient de cœur, d'humanité, d'indulgence. La vie au pensionnat était devenue un enfer, un lieu de cruelles souffrances. D'un bond, nous obéissions aux commandements. Nous étions respectueuses et révérencieuses. Malheur à celles qui auraient osé s'insurger. J'ai appris que le silence était une vertu, et aussi à ne pas communiquer. Mais plus tard, dans la vie, cela eut une conséquence négative sur moi. J'avais peur de m'exprimer ouvertement sur des sujets courants.

Nous étions facilement manipulées. Les Sœurs exerçaient sur nous une domination, une emprise occulte, à l'égal d'un lavage de cerveau. Nous écoutions sagement. Nous obéissions aux ordres. « Oui, oui ma Sœur ». « Non, ma Sœur ». Nous devions être de bonnes petites filles tout le temps, viser la perfection. Néanmoins, elles répétaient sans cesse que nous étions indisciplinées et insoumises et que nous allions brûler en enfer pour l'éternité. C'était une vision affreuse, horrible à inculquer à de jeunes enfants. Elles avaient à leur disposition plusieurs trucs pour nous remettre dans le droit chemin et nous civiliser.

Le Déracinement

À l'âge de quatre ans, j'ai eu plusieurs obstacles à surmonter. L'un d'entre eux fut de communiquer avec les autres élèves en anglais. J'aurais aimé avoir débuté à l'école entourée de Sœurs Grises calmes et douces qui auraient été assez indulgentes pour savoir que je ne pouvais pas les comprendre. Finalement, ça n'a pas été le cas. Quotidiennement, j'ai subi des sévices et de la violence sous leur férule. On frappait souvent les élèves, sur les mains avec une palette, qui étaient trouvées en faute.

Pendant une heure durant la journée, c'était le grand silence afin que les sœurs puissent s'adonner à leur lecture en français. Une des Sœurs lisait tout haut, postée devant nous. Pendant ce temps, je demeurais habituellement assise sur le plancher, en jouant tranquillement. Quelque deux années plus tard, durant cette période, nous communiquions par signes à l'insu des Sœurs ou encore nous parlions tout bas. Parfois nous nous cachions pour rire en sourdine. Nous n'étions pas toujours portées à être des petits anges parfaits qu'elles auraient aimé qu'on soit.

Peu à peu, j'ai appris l'anglais parce ce que je ne pouvais pas parler ma langue maternelle, l'esclave (Sahtu). Ce n'est pas arrivé du jour au lendemain, car j'ai dû peiner pendant deux bonnes années pour y parvenir. À l'occasion, quelques jeunes filles bavardaient en platcôté-de-chien ou chipewyan à la dérobée. Toutefois, nous conversions habituellement en anglais. Les mots jouent un rôle bien important dans la vie, par contre les Sœurs n'ont fait que m'embrouiller les idées. J'étais désorientée, je ne savais plus ce que je devais apprendre. Elles permettaient l'usage de l'anglais, elles conversaient en français, et à l'église elles employaient le latin, la langue du rituel; mais c'était formellement interdit de parler les langues autochtones qui étaient d'une grande importance quand nous retournions dans nos communautés individuelles.

Au cours des ans, j'ai perdu ma langue maternelle, l'esclave, et l'anglais est devenu la langue prédominante. Le latin était en usage à l'église, alors petit à petit, je me suis familiarisée avec cette langue en feuilletant le missel, le livre liturgique des catholiques contenant les prières et les lectures nécessaires à la célébration de l'Eucharistie. En assistant à la messe chaque matin, je répondais machinalement aux intonations du prêtre, mais sans comprendre le moindre mot qui sortait de ma bouche. J'étais parvenue, étonnamment, après des heures et des heures d'articulation et d'accentuation en classe à prononcer le latin convenablement. On ne nous a jamais enseigné la langue française.

Plusieurs élèves s'exprimaient en catimini dans leurs dialectes autochtones dans la cour de l'école, à la dérobée des Soeurs. Nous apprenions déjà à être cachottières et perfides, ignorant que les autochtones avaient le droit de s'exprimer dans leur dialecte déné. Nous entendions les prêtres et les Sœurs Grises échanger tout le temps entre eux en français, mais quant à ces derniers, nos langues n'étaient pas importantes et devaient être éradiquées. Quelle était la raison de leur attitude? C'était sans doute pour éliminer tout trait caractéristique indien en nous, bien que nous étions des êtres humains à la peau brune et possédions notre propre culture. Leurs discussions créèrent une barrière linguistique qui eut des effets à long terme. Elle provoqua chez moi beaucoup de chagrin et m'occasionna des ennuis. Désormais, je ne pourrais plus jamais m'entretenir avec les Anciens; j'avais perdu ma langue.

Mes parents parlaient six dialectes reliés à la famille des

langues dénées. Ils nous décrivaient les coutumes du pays, les noms des lieux et des rivières bien avant la venue des Blancs. Mais nulle part au pensionnat ne se faisaient entendre les langues autochtones. On nous a refusé injustement et systématiquement de pratiquer nos coutumes et nos traditions, de cultiver notre spiritualité dénée de connaître et d'adopter notre patrimoine national. Leur but était de nous arracher de notre milieu naturel et d'extirper tout attribut, toute manière d'être, tout trait qui nous caractérisait.

On ne nous a jamais enseigné quoi que ce soit concernant notre territoire, la forêt, les eaux, l'ensemble des croyances et des rituels entourant notre spiritualité. On nous a inculqué la manière de faire des Blancs, et encore là ce ne fut qu'une bien mince version. Le gouvernement et les missionnaires visaient à nous assimiler, cherchant à faire de nous des petites Blanches, ambitionnant de nous incruster leur langue et leurs coutumes. C'est attristant et déplorable que j'aie perdu toute trace de ma langue maternelle durant mon séjour au pensionnat. Ma vie durant, je me suis sentie comme une étrangère parmi mon propre peuple, impuissante à participer à toute discussion, inapte à me faire entendre, maladroite dans mes relations. Des velléités indistinctes encore m'éprouvent. Ce fut comme un soufflet au visage.

Un sentiment tenace d'incompétence et de balourdise m'a toujours habitée devant mon incapacité à m'exprimer dans ma langue. Les sœurs étaient parvenues à extirper en moi toute trace d'indiennité dans leur tentative de me changer. Un blocage psychologique, issu de mon séjour au pensionnat, fit obstacle à toute tentative d'apprentissage d'une langue autochtone, de ma part. J'ai vécu constamment dans la crainte des Sœurs. J'étais gagnée parfois par une peur si morbide que mon cœur battait à toute épouvante.

Le Pensionnat St-Joseph

Le Pensionnat St-Joseph d'obédience catholique, construit en 1903, a ouvert ses portes en 1915 et les a refermées à la fin de décembre 1953. Les résidents de Fort Resolution rapportèrent que l'ancienne résidence, nue, triste et lézardée de toutes parts, était hantée lorsqu'elle fut plus tard la proie des flammes. Les Dénés Deninu K'ue (Chipewyans de Fort Resolution) occupent maintenant des logements construits sur le site de l'ancien pensionnat.

Le pensionnat dépendait du diocèse du district de Mackenzie et sous la gouverne de Pères Oblats et de Frères convers qui se consacraient aux travaux manuels, de Sœurs Grises et du personnel laïque embauché sur place. Le système présentait des risques d'abus. Les jeunes filles étaient confiées aux soins des Sœurs Grises dont bon nombre venaient soit de la France ou du Québec.

Les garçons et les filles vivaient séparément. Il y avait également deux sections une pour les plus jeunes élèves et une autre pour les plus âgées. La chapelle servait en quelque sorte de séparation entre la partie du bâtiment destinée aux filles de celle des garçons de l'autre côté. Le bâtiment principal s'étendait sur trois niveaux et l'on pouvait facilement s'y perdre si nous n'étions pas initiées. Au rez-de-chaussée se trouvaient les classes et le réfectoire. La buanderie était située au bout du corridor vers l'hôpital érigé tout près. La section des plus jeunes élèves logeait à l'étage du milieu et enfin celle des plus grandes à l'étage supérieur.

Nous vivions sous la tutelle des Sœurs Grises qui dominaient tout. Leur mission « chrétienne » consistait à faire de nous des Blanches, ainsi elles avaient une main mise sur nous et nos moindres gestes. Il ne fallait surtout pas s'enquérir de quoi que ce soit. Il fallait obéir au doigt et à l'œil, sans protester. Se plier, se conformer aux ordres des Sœurs Grises. Cette manière de faire eut un effet néfaste. Il fut nuisible et préjudiciable à notre formation. Nous étions devenues des robots. Nous n'avions aucun sens des responsabilités. J'étais devenue une personne inanimée, sans voix. Nous leur appartenions corps et esprit, nous étions sous leur égide. Elles avaient la liberté de faire de nous tout de qu'elles voulaient, comme bon leur semblait, peu importe ce qu'elles nous causaient ce faisant. L'ironie de la chose, c'est que des membres de nos communautés sont encore la proie de troubles psychiques dus aux comportements négatifs hérités de leur séjour dans les pensionnats. Des institutions plus apparentées à des prisons qu'à des foyers pour enfants, car ces derniers ont besoin d'être entourés d'affection.

On nous contrôlait partout et en tout temps. Nous ne pouvions aller aux toilettes, qui se trouvaient à l'extérieur, qu'à des heures fixes, selon un horaire qui avait été établi. Sous aucun prétexte, nous ne devions faire usage des toilettes extérieures réservées aux filles plus âgées. Par curiosité, un jour d'hiver, alors que j'avais environ six ans, je me suis rendue en tapinois dans la section interdite. À première vue la seule différence c'était que les trous qui avaient été percés dans les banquettes étaient plus gros. Toutefois, j'ai vu que la banquette avait été souillée de sang. Dans mon état d'esprit, marqué par la naïveté, j'ai cru que quelqu'une avait saigné du nez. Par bonheur, personne ne s'était aperçu de ma petite excursion en terrain défendu.

J'ai souvent songé à cela pendant des années. La sexualité était un sujet interdit qui n'était jamais abordé parce que c'était mal. Personne ne parlait de cycle menstruel selon le calendrier lunaire, de l'appareil génital féminin et de l'ensemble des modifications physiologiques et psychologiques qui se produisent au moment de la puberté et aux fonctions de reproduction particulières à l'homme et à la femme. La génitalité était quelque chose de tabou. Je croyais que lorsque nous voulions un enfant, tout ce que nous avions à faire c'était de le demander à Dieu et il nous l'offrait dans nos bras, à l'instar de la statue de la Vierge tenant l'enfant Jésus qui se trouvait dans la chapelle. J'étais ignorante de tant de choses parce que je ne pouvais pas avoir une discussion quelconque avec qui que ce soit. Tout était entouré du secret. Il y a des leçons qu'on peut tirer en vertu du fait de vivre dans la nature, comme nos ancêtres, tel qu'assister à l'accouplement des espèces animales conformément à l'instinct naturel.

La buanderie se doublait aussi de salles de douches. Cette pièce sentait le renfermé, le moisi, le rance. Nous prenions nos douches parfois le samedi, mais la plupart du temps, nous limitions nos ablutions qu'au lavabo. Le long d'un mur de la buanderie était alignée la rangée des pommes de douche hautes dans les airs. C'était horrible à voir, un réseau d'énormes tuyauteries grises rouillées et écaillées circulant en tout sens. L'enceinte des douches était à aire ouverte, il n'y avait pas de cabines individuelles. Ainsi, nous pouvions nous doucher plusieurs à la fois.

Nous portions une tenue modeste, composée d'une sorte de brassière en coton et d'une jupe lorsque nous prenions nos douches avec beaucoup de pudeur, de retenue et de décence, sous la haute surveillance d'une Sœur. En tout temps, nous gardions les yeux baissés et nous devions nommément éviter de nous observer les unes les autres, si nous ne voulions pas avoir des ennuis. La nudité du corps n'était pas tolérée. De plus, il était formellement interdit de regarder notre propre corps. Nous ne le faisions pas de toute façon. Nous ne voulions pas être tenues d'aller à la confesse et d'avouer au prêtre: « J'ai vu mon corps dénudé. » Il était rigou reusement interdit de porter notre regard sur nos compagnes, il fallait détourner les yeux. Sinon nous étions contraintes de nous en confesser. Nous devions observer les règlements à la lettre. Le tout se déroulait dans un silence total. La Sœur responsable distribuait à chacune un petit jet de shampoing et un unique pain de savon que nous partagions toutes. Je me souviens qu'il faisait très froid. On se lavait rapidement et on s'essuyait du mieux qu'on pouvait. Une fois que nous avions terminé, on se rhabillait et l'on remontait au dortoir deux par deux, les cheveux toujours mouillés, transies de froid. Nous n'avions pas de lotion, mais nos admirables cheveux noirs étaient brillants et vernis comme l'aile d'un corbeau.

Pendant que nous passions sous les douches, il n'y avait que nous, les pensionnaires et les Sœurs Grises qui voyaient au bon déroulement. À ce moment-là, le personnel de la buanderie, qui était composé majoritairement de femmes autochtones du village de Fort Resolution, s'absentait. Je me souviens que souvent elles nous souriaient, mais nous ne pouvions en aucun cas leur adresser la parole. Elles lavaient, repassaient et pliaient notre linge et notre literie. Nous faisions notre lit à la manière des militaires. Nous ne pouvions pas faire usage du couvre-lit pour nous garder au chaud la nuit. Tous les soirs, au coucher, nous devions le plier soigneusement au pied de notre lit et, venu le matin, en recouvrir diligemment et minutieusement notre couchette.

Les pensionnats maintenaient un système d'enseignement où la ségrégation était appliquée. Nous étions isolées des garçons et des filles plus âgées. J'imagine que cela était fait en vue d'éviter qu'on s'attire des ennuis ou encore que l'on fasse des bêtises. Vous savez, tout ce copinage entre garçons et filles, et le contrôle de la pensée.

Mon petit frère, Joe, est arrivé au Pensionnat St-Joseph en 1955. Il avait un an de plus que ma sœur Muriel. Mes parents avaient adopté Joe en bas âge. Pendant le repas des deux nourrissons, ma mère leur donnait le sein ensemble dans un tête à tête. Lorsque Muriel et moi sommes allées au pensionnat, Joe est demeuré derrière avec mes parents à Port Radium, où la mine d'uranium était en plein rendement. Mon père amenait Joe avec lui lorsqu'il transportait des billots pour la mine, pour les bouilloires et pour les maisons. Ce fut à cette époque que Joe est devenu très malade. On ignorait la cause de ses malaises. Il souffrait peut-être d'une sorte de tuberculose ou de consomption comme on disait à l'époque, ou encore avait-il été contaminé par les déchets radioactifs négligemment abandonnés autour de la mine. Il était si atteint dans tout son corps qu'il fut envoyé, au grand désespoir de mes parents, par avion à Whitehorse, Yukon. Un prêtre lui administra l'extrême-onction, le Sacrement d'Église destiné aux fidèles en péril de mort, mais Joe survécut. Il se souvient qu'il était très assoiffé et qu'il était brûlant de fièvre.

Par la suite, Joe fut envoyé à l'Hôpital Charles Camsell à Edmonton. C'était bien loin pour un petit garçon, mais enfin il parvint à reprendre des forces suffisamment pour pouvoir regagner le foyer familial. Il fit le trajet dans un petit avion jusqu'à Port Radium. Il se souvenait que papa avait été à sa rencontre avec une traîne sauvage pleine d'articles qu'il s'était procurés à l'épicerie du comptoir. Papa avait pu faire ces achats grâce à un chèque de bien-être qu'il avait reçu du gouvernement pour prendre soin de Joe. C'était la première fois que la famille prenait conscience de ce programme social d'aide financière.

Dès que Joe fut assez bien rétabli, il a été envoyé à Fort Resolution. À la vérité, ce fut nullement une joyeuse réunion, car on ne lui a pas autorisé de rencontrer ses propres sœurs, Muriel et moi. Il nous a raconté que c'était formellement interdit de jeter le moindre regard du côté de la section réservée aux filles. Lui aussi était épouvanté par la présence des Sœurs. Il avait été sévèrement averti que si jamais on le surprenait à parler « indien » qu'on lui couperait la langue.

Si par hasard je voyais mon frère Joe, je ne pouvais pas lui parler. Des règles aussi déplorables qui nous privaient d'entretenir des liens familiaux n'auraient pas dû être instaurées. Quelques filles dans notre propre section avaient le bonheur d'avoir une ou deux sœurs d'un même groupe d'âge et pouvaient ainsi se remonter le moral, sécher leurs larmes, se réconforter et de mettre un peu de baume sur leurs plaies. Mais la majorité d'entre nous vivait une vie dénuée d'amour qui s'avéra être très dommageable et ouvrit la voie à des comportements troublants plus tard.

Ce n'est que tardivement que j'ai compris le fonctionnement de la cellule familiale et de la dynamique de la fratrie. Il m'arrivait parfois d'entrevoir mon frère Joe aux séances de cinéma. Je ne comprenais pas pourquoi il m'était interdit d'échanger avec lui. On ne nous donnait aucune justification qui aurait pu légitimer un tel règlement monstrueux et barbare. Une fois, j'avais osé lui faire un signe de la main, et il n'avait pas réagi à mon geste. Ce moment m'est resté figé dans la mémoire. Si j'avais été prise sur le fait, même ce banal geste de la main à mon frère m'aurait valu de vives réprimandes et il aurait fallu que je demande pardon à genoux d'avoir voulu me révolter.

Lorsque Muriel atteignit l'âge pubertaire, cela signifiait qu'elle allait rejoindre les filles plus âgées. J'avais perdu mon père et ma mère, et voilà que ma sœur me quittait. J'étais devenue une pauvre orpheline. En entrant au pensionnat, on cessait de s'appartenir, on était traité comme une chose. Nous vivions sous la dépendance absolue des Sœurs et soumise à leur pouvoir tyrannique.

Le réfectoire était doté de tables et de bancs en nombre suffisant pour asseoir tout le monde. La nourriture servie au pensionnat était inconnue de la majorité d'entre nous, Autochtones.

Quelques-unes parmi nous n'étaient pas friandes de pois verts, or ils se retrouvaient au plancher. Il m'était d'un goût si abominable que j'en avais des haut-le- cœur. Ainsi chaque fois qu'on nous servait des pois, certains allaient choir par terre. Par bonheur, les pois avaient la propension de rouler loin des coupables. Mais malheur à celles qui étaient trouvées fautives. Un jour, j'ai été surprise à commettre cet épouvantable délit et été contrainte de ramper sur le plancher, de les ramasser un à un et de manger tous les pois délinquants. Si la nourriture qui était devant nous ne nous plaisait pas, les navets par exemple, nous étions obligées de rester à table tant que notre assiette n'était pas nettoyée et que nous sortions de table boursouflées.

C'était devenu une perpétuelle partie de bras de fer entre les Sœurs et moi. Elles me sanctionnaient parce que j'étais têtue et que je ne les écoutais pas. « Eh bien, je suis dénée et je ne suis pas accoutumée à manger des pois verts, des betteraves rouges ou des navets. » Cependant, j'ai fini par m'y habituer. Les affres au réfectoire variaient de jour en jour. Parfois, si on persistait dans notre volonté à refuser de manger un plat quelconque, il était remisé et on nous servait le même plat le lendemain et le surlendemain. On finissait par céder devant l'opiniâtreté diabolique des Sœurs. Elles venaient à bout de notre entêtement jusqu'à ce que nous devinssions de petites filles malléables et soumises.

Nous n'apprécions pas toujours le goût des poissons qui étaient parfois avariés. J'ai appris plus tard des gens de Fort Resolution que les Autochtones aidaient les Frères convers à pêcher des poissons et que pendant quelques jours ces derniers demeuraient suspendus sur des vigneaux à l'extérieur. De là venait peut-être l'étrange goût que les poissons acquéraient. C'était nettement loin du poisson frais dont je me délectais à la maison, un mets que je savourais avec délice au milieu des taquineries de mon frère George.

Ma sœur Muriel m'a raconté que les bouillons qui étaient préparés dans les cuisines du pensionnat parvenaient des restes des repas d'apparat et copieux dont se sustentaient les Prêtres et les Sœurs à la résidence. Ces derniers se régalaient de poulet, de tartes, de pain frais, de mets exotiques parfois. Quant à nous, le menu variait parfois et on avait droit à des beignes rassis. Muriel se souvint qu'une fois elle avait mangé, tout comme moi, des œufs à la coque.

Les Sœurs du pensionnat recourraient à des gens du village qu'elles engageaient pour peler les pommes de terre et cuire le pain. Enfin, l'on parvenait à apprivoiser et à s'acclimater à leur nourriture qui était toutefois passable. Lorsque la faim nous taraudait, il fallait bien manger.

L'été, les Sœurs s'approvisionnaient en nourriture venant du Sud et transportée sur des barges qui accostaient sur les rives de la berge. Le lait en poudre venait dans d'immenses contenants en fer-blanc et d'autres aliments en conserve dans des boites surdimensionnées. Il y avait également des fruits secs, tels que des poires séchées qu'on appelait des grosses oreilles, des abricots séchés qu'on baptisait de petites oreilles, et des sacs de farine. Ces denrées s'ajoutaient aux produits locaux, par exemple la chair de bison et les œufs du poulailler.

La viande de caribou, nourrissante et nutritive, faisait partie de la cuisine traditionnelle dont je raffolais, tout particulièrement lorsque frite dans la poêle. Cependant, je ne me souviens pas d'en avoir mangé au pensionnat. Les harpails de caribous migratoires venaient parfois à passer tout près du pensionnat, mais je ne me rappelle pas en avoir vu. J'ai souvenir d'avoir mangé du ragoût de bison bien savoureux, agrémenté de pommes de terre, cependant je détestais les navets qu'on y ajoutait. Quant aux Sœurs, elles se régalaient de civet cuit dans du vin, qu'elles agrémentaient au dernier service, de fromage, pâtisseries et fruits.

Nous avions comme dessert du pouding au riz ou du jello. Et nous buvions du lait en poudre. Comme punition, on nous privait parfois de dessert. Tous les matins, le déjeuner était composé de gruau, de fèves au lard que je trouvais excellentes et des rôtis. Les repas ne différaient guère d'un jour à l'autre, si ce n'est qu'à Pâques des œufs à la coque remplaçaient les fèves au lard à mon grand dam. Ce jour-là, ce qui sortait de l'ordinaire, nous avions droit à une collation—des biscuits secs. Les Sœurs, pour leur part, se gobergeaient de petit beurre et de madeleines.

En venant au pensionnat, contre notre gré, nous devions nous adapter à des situations nouvelles : la nourriture, les façons de faire des coutumes damnables qui méritaient la réprobation et la religion qui s'infiltrait partout et modelait notre quotidien. Nous ne pouvions pas nous dresser contre les règlements, regimber ou contester quoi que ce soit. Il n'y avait personne pour se porter à notre défense, pour nous soutenir dans nos revendications. Nous vivions constamment dans la crainte de la damnation, le châtiment et les supplices de l'enfer—parfois les Sœurs poussaient le zèle jusqu'à en inventer quelques-uns—tout cela au nom de la charité et la religion chrétienne.

Tous les jours nous avions des corvées et des tâches ménagères à accomplir. Notre salle de jeu était munie d'un plancher en bois qu'on balayait quotidiennement avec une préparation de sciures de bois dans du solvant. Lors d'occasion spéciale on cirait le parquet, pour le faire reluire nous portions toutes des bas de laine et on le frottait et l'astiquait, tout en s'amusant dans tous les sens jusqu'à ce qu'il atteigne le brillant de l'acier.

Après avoir joué dehors en hiver, on enlevait nos bottes en entrant et on les rangeait soigneusement dans des cases. À une époque nous avions des pardessus munis de boucles dans lesquels nous enfilions nos souliers. Nous mettions toujours des souliers, jamais nos mocassins traditionnels. On essuyait nos bottes proprement sur le paillasson avant de marcher sur le plancher de bois. La propreté du corps est parente de la propreté de l'âme, alors nous nous appliquions à être soignées en tout temps. Chaque jour nous avions des tâches à accomplir, faire le ménage ici et là afin de garder les lieux proprets. Si nous ne nous adonnions pas au nettoyage, nous cousions après l'école et les samedis. Les Sœurs nous faisaient tricoter des bas ou des foulards, une maille à l'endroit, une maille à l'envers, ou encore on reprisait les bas des garçons qui souvent étaient en fort piteux état, troués de toutes parts. La première fois que je me suis mise au reprisage je me suis évertuée à faire de mon mieux.

La Sœur examina mon ouvrage et se mit à fulminer : « C'est pas bien! Recommence! Recommence! »

Elle rejeta mon dur labeur parce qu'à ses yeux ce n'était pas adéquat. Les Sœurs excellaient à m'humilier malgré tous les efforts que j'y mettais. Ce ne fut qu'après plusieurs années que je suis parvenue à repriser impeccablement. Il fallait enlacer chacune des petites boucles de laine. Si le rapiècement était trop serré ou trop lâche, la Sœur me faisait recommencer en entier. Il fallait que le travail soit scrupuleusement exécuté. Nous nous consacrions à ce genre de besogne tous les samedis. Tout devait être accompli ce jour-là.

Chaque semaine, le samedi, c'était le grand ménage dans le pensionnat. On balayait les planchers et les escaliers, dépoussiérait les cadres, battait les tapis, enlevait la saleté sur les tables et les bancs du réfectoire, écurait les lavabos et frottait les miroirs du dortoir, débarbouillait les murs. On travaillait à force de bras, les aspirateurs nous étaient méconnus. Par la suite, la Sœur surveillante passait derrière nous et vérifiait les moindres recoins. Le pensionnat devait être d'une netteté impeccable. Si tout n'était pas à la hauteur, nous étions sévèrement semoncées.

La vieille résidence serait depuis longtemps tombée en

décrépitude si nous ne l'avions pas gardée en bon état. Tous ces travaux étaient faits à bon compte grâce aux durs labeurs de petites autochtones. Les Sœurs et le Frère convers n'auraient pu jamais y parvenir sans qu'ils se soient vidés complètement de leur énergie ou encore qu'ils aient eu recours à des salariés. Ce n'était pas une besogne qu'on accomplissait avec joie, mais plutôt devant l'obligation d'obéir aveuglément aux Sœurs.

Le printemps venu, on enlevait toute la salissure qui avait encrassé les fenêtres durant les mois d'hiver. Je me souviens de les avoir astiquées avec du Old Dutch, la petite Hollandaise avec sa traditionnelle coiffe sur le contenant. Outre au grand nettoyage printanier, nous nous appliquions à nos tâches quotidiennes. Bien que nous nous efforcions de racler à fond les fenêtres, elles s'étaient détériorées au cours des ans. Nous faisions de notre mieux.

L'une de mes premières besognes à l'âge de quatre ans fut de balayer l'escalier avec une brosse et un porte-poussière. Il m'a fallu beaucoup de temps avant de parvenir à le faire correctement, j'agissais de la sorte afin d'éviter d'être réprimandée. La jeune pensionnaire, sous la responsabilité de laquelle j'étais et qui avait tout au plus dix ans, veillait à ce que tout soit immaculé avant le passage des Sœurs. Je n'étais jamais gratifiée pour mon labeur, mais gare à moi si par malheur j'oubliais ne serait-ce qu'un cheveu ou le moindre grain de poussière.

Au cours des ans, nous fûmes assignées plusieurs autres tâches afin de garder le pensionnat en bon ordre. Ma plus fastidieuse corvée fut d'astiquer les lavabos et faire brillanter la surface métallique des robinets. J'y mettais beaucoup de temps et y apportais beaucoup de soin, même si parfois je ronchonnais. Peu importe l'âge qu'elles avaient, toutes les filles de la section des jeunes avaient des tâches à accomplir.

Les anglets étaient vérifiés, les tapis soulevés à la recherche de la plus petite trace de souillure laissée derrière. Si par malheur nous avions failli à la tâche, nous étions sévèrement admonestées. Le manège se poursuivait jusqu'à ce que l'on réponde aux exigences des Sœurs, en recommençant sans cesse afin que tout soit conforme à leur bon désir.

Pour chauffer la résidence durant l'hiver, les Frères ramassaient le bois dans la toundra recouverte de mousse, de lichens et de bruyère. Ils se rendaient également à la scierie établie sur l'île pour se procurer des billots qu'ils ramenaient désormais par camion. Dans le passé, le transport se faisait à l'aide de chevaux.

De la cour des filles, on pouvait observer les jeunes garçons qui s'activaient fébrilement comme des abeilles à scier, fendre ces massifs billots et corder les bûches qui serviraient à chauffer la résidence. Je pouvais les apercevoir, mais il m'était impossible de distinguer mon frère au milieu de tous les garçons.

D'immenses armoires longeaient tout un mur de notre salle de jeu dans lesquelles on rangeait soigneusement les ballons et les jouets. Nous avions des jeux de blocs en bois. Nous édifions des manoirs de style victorien, que nous n'avions jamais vus auparavant, grâce à l'image qui ornait le dessus de la boîte. Nous nous amusions en jouant aux dames chinoises ou à faire des figures que nous formions entre nos doigts avec de la ficelle pour nous occuper les journées d'hiver. De longs bancs bordaient tout autour la salle de jeu et sur lesquels on s'assoyait pour la récitation du chapelet tous les soirs. Le printemps venu, on jouait à la marelle, à la balle au mur ou encore on dansait à la corde. La routine ne changeait guère d'une année à l'autre. Parfois avec l'arrivée de nouvelles Sœurs Grises, ces dernières apportaient avec elle des divertissements inusités tels que le château de glace et le concours du roi et de la reine.

Ce ne fut qu'en 1957 que des toilettes avec une chasse d'eau furent installées entre le dortoir et la salle de jeu. Je me rappelle tout le remue-ménage que cela avait créé. Car quelques-unes d'entre nous n'avaient jamais vu de leur vie des toilettes modernes auparavant. Nous n'allions plus à nous rendre à l'extérieur par grand froid ou à se servir de pot de chambre la nuit.

Il y avait un cabinet d'aisances dans la salle de jeux et un autre dans le dortoir. Les fenêtres de ces derniers n'étaient pas munies de rideaux, alors on craignait la nuit de s'y rendre. Je redoutais aller aux toilettes à la noirceur parce que je croyais qu'un homme pouvait être à l'affût en train de regarder par la fenêtre. Conséquemment, je restais clouée sur place verte de peur. Avec toutes les histoires d'horreur qui circulaient, on se créait des peurs en se racontant avoir vu des ombres noires roder autour du pensionnat la nuit. L'hiver c'était l'obscurité profonde et l'on ne pouvait pas distinguer les objets dans le noir. En juin, le soleil de minuit nous permettait d'apercevoir quiconque errant autour de notre lit. Je n'ai jamais vu d'homme habillé tout en noir, mais je gardais constamment un œil ouvert au cas où.

Au mois de juin de chaque année au moment où les journées allongeaient cela faisait naître en chacune de nous un nouveau regain de vie. Cela signifiait également que toutes les pensionnaires partiraient en vacances, à part moi. J'étais triste et abattue parce que mes compagnes me quittaient, m'abandonnant derrière.

Durant mon séjour au pensionnat, je n'ai jamais reçu de lettre de mes parents. Ils ne pouvaient pas écrire, bien qu'ils pussent s'exprimer dans plusieurs dialectes de la région, toutefois j'ai su plusieurs années plus tard que mon père avait demandé à des gens de rédiger en leur nom des missives afin de s'informer de nous et de donner des nouvelles d'eux. Ils nous avaient même envoyé de l'argent. Mais aucune lettre ne nous est parvenue, à ma sœur, mon frère ou moi. J'avais le cœur brisé pour cet abandon si cruel. Toute communication avait été coupée. Mes parents n'avaient reçu aucune des lettres que j'avais rédigées au cours de mon séjour au pensionnat. Au début j'écrivais tous les mois, mais peu à peu la cadence ralentit à une fois par année d'autant que je ne recevais aucune réponse. Les Sœurs étaient parvenues à nous faire croire que nos parents nous avaient délaissées à jamais.

Je Vivais Perpétuellement
dans la Crainte des Sœurs Grises

Les Sœurs Grises également nommées les Sœurs de la Charité faisaient vœu de venir en aide aux démunis, sans aucune distinction, au nom du Seigneur. Elles voyaient en Jésus les pauvres et leur rendaient service, les soulageant, les confortant. Elles exerçaient leur ministère dans l'enseignement, les services sociaux et l'ensemble de l'apostolat de l'Église. Tout cela semble bien louable, mais ce n'est pas l'expérience que j'ai connue avec les Sœurs, sous le soin desquelles j'avais été confiée. Si certaines d'entre elles étaient malveillantes et intraitables, par contre, d'autres étaient exemplaires et louables.

Tout au haut de la hiérarchie, il y avait la Mère Supérieure qui dirigeait tous les membres de la communauté. Cette dernière relevait d'un Père Supérieur qui était sous la dépendance de l'Évêque du District de Mackenzie. Ce dernier devait répondre aux plus hautes instances religieuses de l'Église Catholique.[2]

La Mère Supérieure se rendait en visite au pensionnat une fois par année afin de contrôler et d'enquêter sur le bon fonctionnement du personnel religieux, mais je ne lui ai jamais fait part des mauvais traitements dont j'étais victime. Nous avions formellement été mises en garde de bien nous comporter quand nous nous trouvions en sa présence. Nous étions à leur merci et nous demeurions très prudentes. La Mère Supérieure nous semblait une personne gentille. Elle nous souriait et parfois s'arrêtait pour nous parler. Par politesse, nous répondions si on nous adressait la parole. Habituellement je me dissimulais derrière les autres filles pour éviter qu'elle s'entretienne avec moi et je laissais échapper un soupir de soulagement quand elle repartait.

Je garderai longtemps en mémoire notre directrice du pensionnat, Sœur Emmanuelle Lafleur. Elle était une vraie vipère et un déshonneur pour toute la communauté et elle s'acquittait mal de ses obligations. Cependant, sa sœur biologique, Anne Lafleur, également une religieuse dans le même ordre, qui nous enseignait, était agréable dans ses rapports avec nous et diamétralement l'opposée de sa sœur. Évidemment, je ne me souviens pas de toutes les Sœurs qui nous ont dirigées, sauf celles qui eurent un impact dans ma vie.

Elles n'étaient que de simples gardiennes, sous la tutelle desquelles nous étions, qui avaient eu comme mandat de nous sevrer de nos coutumes. Par le seul fait d'être Indiennes, nous étions à leurs yeux des êtres impies qu'il fallait ramener dans la bonne voie. Elles avaient été déléguées par le gouvernement avec la bénédiction de l'Église Catholique, par surcroît.

Le côté noir et lugubre de ma relation avec Sœur Emmanuelle Lafleur, ma geôlière, débuta avec la déplorable habitude chez elle de nous appeler par un numéro au lieu de notre nom. La jeune pensionnaire qui se portait garante de moi me répétait sans cesse mon numéro afin que je m'en souvienne.

« Écoute attentivement quand ton numéro est appelé et réagis sur le champ » implorait-elle. Elle aurait pu s'attirer des ennuis, car je ne réagissais pas à l'appel de mon numéro. Mon cœur vibrait comme les battements rapides d'un tambour, subjuguée par la peur. J'étais sur le point d'éclater en sanglots, face à la religieuse, pendant que toutes les autres élèves avaient le regard fixé sur moi. Je ne répondais pas à l'appel, paralysée par la peur. Puis la voix stridente de Sœur Emmanuelle Lafleur se faisait entendre.

« Pourquoi restes-tu plantée là comme une nouille? C'est quoi ton numéro? Et bien, réponds-moi!» Mon pauvre petit cœur se mettait à battre la chamade. Son violent comportement m'avait rendue muette. Parfois elle me giflait au visage. En fin de compte, je répondais d'une voix douce et presque éteinte. « Répète-le! Qu'est ce que t'as dit? Je peux pas t'entendre!» hurlait la Sœur. J'ai été traitée injustement de la sorte encore et encore jusqu'à ce que je réponde à haute voix : « oui, ma Sœur». J'étais si jeune et naïve. En vérité, c'était un martyre d'être sous ses ordres. En temps et lieu, j'ai fini par apprendre par cœur mon numéro.

Ce n'était pas surprenant que les remarques désobligeantes et continuelles de Sœur Lafleur m'aient pervertie. Ce n'était pas tant les règlements qui étaient vexants que le comportement désobligeant de Sœur Emmanuelle Lafleur. Elle semblait résolue à détruire mes valeurs et à éradiquer la confiance en moi. Je suis devenue récalcitrante. Toutefois, quand je délaissais son entourage et que je me trouvais en présence d'autres Sœurs ou Prêtres, je redevenais la parfaite petite fille. J'ai appris à me complaire avec celles que je trouvais gentilles. J'ai appris à les manipuler, de même que moi-même.

Il fallait couper tous les liens avec notre famille. Les Sœurs cherchaient à éviter le sujet. Il était interdit de communiquer avec des membres de la famille et de les visiter, hormis quelques élèves qui demeuraient par bonheur près de Fort Resolution et pouvaient s'y rendre par bateau.

À la longue nous sommes devenues espiègles. Quand les Sœurs avaient le dos tourné, on se moquait d'elles. Après avoir été bâillonnées pendant d'interminables et longues heures de silence, mal nous en prenait et un fou rire nous gagnait. Nous portions la main à la bouche pour étouffer nos ricanements. C'était une manière de nous venger pour tous les châtiments qu'on avait subis.

Je ne me sentais pas aimé. J'étais tournée en ridicule quand je prononçais mal un mot en anglais. J'étais la cible de bien des railleries. En y songeant bien, certaines Sœurs n'étaient pas si compétentes en langue également. J'étais dans une situation désastreuse, elles n'avaient aucune compassion pour moi, ne témoignaient aucune commisération à mon égard. J'avais le sentiment qu'elles me détestaient. J'étais rebutée par la dureté, l'indifférence, la froideur des religieuses.

J'étais rudoyée quand j'avais des humeurs visqueuses qui s'écoulaient de mon nez. Je cachais mes sentiments, derrière un comportement adéquat, un langage corporel pondéré et je ne pouvais guère m'exprimer. Je sentais que peu à peu j'étais envahie par la rage. J'étais comme une bombe à retardement sur le point d'éclater, mais il fallait que je me maîtrise sinon j'aurais été victime de véhéments coups. Je pourrais écrire des pages et des pages sur le caractère vindicatif et vengeur des Sœurs.

Il semble que ce n'était que sur la cour extérieure que l'on pouvait s'amuser et s'égayer loin des regards vigilants des Sœurs. À cette époque-là, je ne savais même pas que notre Créateur aimait la petite Alice. On m'avait raconté que Jésus aimait tout le monde, je ne pouvais le voir autrement que sur la croix partout au pensionnat. On voyait Jésus mourant sur la croix à l'église et à la chapelle. Les Sœurs Grises, les Pères Oblats et l'Évêque portaient tous autour du cou un crucifix. L'effigie de Jésus était partout, on payait un culte à Jésus mort sur la croix pour nous sauver et racheter nos péchés, mais il n'était jamais question d'amour. Personne ne m'a dit : « je t'aime ». Personne ne m'a pris ou serré dans les bras quand je pleurais. On ne recevait de la part des Sœurs aucun geste de tendresse ou d'affection. Pas la moindre manifestation de sollicitude, je ressentais que des angoisses quand je me trouvais parmi elles. Je me sentais comme un animal en cage jusqu'à ce que, venu l'été, j'éprouvais un grand soulagement avec l'arrivée de nouvelles Sœurs pour veiller sur moi.

Les Sœurs qui venaient durant la période estivale et sous le soin desquelles j'avais été confiée étaient toutes très aimables envers moi. Elles étaient en veine de générosité et d'indulgence. Je me souviens d'une Sœur en particulier qui m'a fait découvrir un pan de la vie que j'ignorais. C'était durant les mois d'été et j'étais la seule pensionnaire, toutes les autres étaient parties chacune chez elle. Je n'avais jamais vu un mort, car cela ne faisait pas partie de l'éducation chrétienne que l'on recevait au pensionnat. Or, cet été-là, je suis allée en compagnie de la Sœur voir une personne qui était exposée dans une pauvre masure. Le corps de la vieille femme était allongé dans un cercueil et elle semblait dormir. Nous nous sommes agenouillées pour réciter une prière. Je n'oublierai jamais l'odeur de la mort qui flottait dans l'air de ce vieux logis décrépi. Plus tard nous avons assisté à ses funérailles à l'église. Ce soir-là, esseulée, j'ai versé des larmes. Je me suis demandé si mes parents étaient toujours vivants. J'ai pleuré l'absence de mes parents. Ils me manquaient terriblement. Et s'ils étaient morts et que personne ne m'avait prévenue? J'ai souvent pensé à eux dans les tourments de l'absence.

Les Sœurs me rudoient, maman.

Je me souviens que chaque année de nouvelles Sœurs étaient assignées au pensionnat. Bien qu'elles vinssent d'arriver, je les craignais parce qu'elles m'étaient inconnues. J'avais été si souvent malmenée et rouée de coups dans le passé. Je ne savais pas quelle attitude ces Sœurs adopteraient.

Sœur Emmanuelle Lafleur fut la pire tortionnaire que je n'ai jamais connue, et elle est demeurée en poste pendant plusieurs années. Et elle était toujours d'une humeur massacrante et exécrable.

Un jour, alors qu'elle était encore mal lunée, elle m'a donné une brosse à plancher et m'a ordonné de me frotter les mains jusqu'à ce qu'elles soient propres. Je ne comprenais pas ce qu'elle entendait par là puisque mes mains n'étaient pas sales. J'ai frotté et

frotté jusqu'à ce que mes mains soient rouges. Et je lui ai montré.
« Elles sont encore sales! » aboya-t-elle.

Elle m'a regardée d'un air dédaigneux et elle m'a sommé de frotter encore plus fort. Étant Indienne, ayant naturellement la peau brune, j'étais quelque peu perplexe. Après lui avoir montré mes mains rougies presque jusqu'au sang, elle était enfin satisfaite. En se cicatrisant, la peau de mes mains se couvrit de gales et il se forma une croûte qui fendillait. J'avais arraché ma peau en frottant. Mes mains étaient si laides, irritées, abîmées et se desquamaient que je cherchais à les cacher. On ne m'avait donné aucun onguent à appliquer sur mes blessures. Mes mains me faisaient très mal, mais ce dont j'ai souffert le plus ce fut lorsque Sœur Lafleur m'a dit que je mentais quand je lui ai montré mes mains la première fois, la peau à vif. Je ne mentais pas, mais je n'osais m'opposer, car cela aurait enfreint les règlements.

Suite à cet incident, je suis restée marquée le reste de ma vie. Mes mains étaient endolories, mais c'était sur le plan émotif que j'ai enduré le plus de peine. J'étais abattue, déprimée, mal en point. Toute petite, je vivais dans la peur constante que Sœur Lafleur allait me cisailler les mains. Je souffrais en silence parce qu'il n'y avait personne à qui se confier. Elles avaient des goûts pervers. Elles prenaient plaisir à faire souffrir, à voir pâtir autrui. Tous les jours en se levant, après la méditation et la messe, elle préparait sa petite journée de sadisme, elle avait des punitions plein la tête.

Les Sœurs de la Charité sont connues à travers le monde pour leurs bonnes œuvres. Cependant, celles qui étaient chargées de la discipline au pensionnat n'étaient pas des plus douces. Cela dépendait de leur humeur. Elles n'avaient aucun souci qu'on ait été arraché de nos parents et nous méprisaient d'autant plus. Nous étions mal perçues et on ne se sentait pas aimé. Elles n'avaient jamais un bon mot d'encouragement afin de nous aider à nous améliorer.

Tout ce que les Sœurs Grises recherchaient c'était de faire de nous de bonnes petites filles dociles se pliant à leurs ordres. Aucune personne ne se portait à notre aide quand nous étions gourmandées et tarabiscotées, nous devions nous plier à leurs commandements et à toutes les prescriptions qui étaient à l'ordre du jour. Nous étions en butte aux mauvais traitements, aux tracasseries quotidiennes. Nous étions de pauvres petites créatures sur qui pleuvaient les coups. Je ne pouvais pas mettre mon cœur à nu à quiconque en autorité, car je craignais les représailles qui d'ailleurs étaient érigées en système. Le secret professionnel n'était même pas respecté.

Un séjour en institution de près de cinq ou six ans nous faisait oublier un peu notre mode de vie traditionnel et nos coutumes. Le pensionnat était un établissement clos, aménagé pour nous recevoir comme si nous étions des délinquantes. Nous étions gardées captives contre notre volonté. Nous avions été laissées en pâture aux mains des religieuses. Ce n'était pas un havre de paix. Nous vivions complètement isolées du monde. Puisqu'il n'y avait aucune route qui menait à Fort Resolution, alors la seule façon de quitter les lieux c'était par la voie des airs ou par bateau. Loin de nous la pensée de s'enfuir, car l'hiver on serait morte de froid et l'été on aurait été mangé par les brûlots. Nous étions séquestrées et le représentant du gouvernement pour les Affaires indiennes nous avait complètement oubliées.

J'ai été la proie d'un autre incident avec Sœur Emmanuelle Lafleur. J'avais six ou sept ans au moment où l'évènement eut lieu. Souvent la nuit, spécialement durant les grands froids de l'hiver, les fenêtres du dortoir couvertes de givre, et la neige balayée par les vents qui s'activaient du nord, il faisait une froidure glaciale. Au dortoir, nous n'avions pour nous couvrir qu'un mince drap en coton et une couverture de laine. C'était bien peu lorsqu'il faisait un froid de loup. Pourtant, il y avait bien un édredon, mais nous ne pouvions pas en disposer, car ce n'était qu'un ornement.

Ainsi donc, par une nuit d'hiver, alors que le vent soufflait à tout rompre et cherchait à entrer par les interstices, j'étais couchée, recroquevillée sur moi-même, les genoux me touchant presque le menton, les mains entre les cuisses pour me garder au chaud. Très tôt au matin, je fus rudement réveillée par Sœur Lafleur qui avait arraché d'un trait la couverture de laine. Un grand frisson me secouait les épaules et j'étais pâle comme le drap.

« Qu'est ce que tu fais là? Lève-toi, lève-toi! » aboyait Sœur Lafleur.

Ses cris et ses hurlements avaient réveillé toutes les filles dans le dortoir. « Demande pardon à Dieu! » s'époumonait-elle d'une voix rageuse. « Mets-toi à genoux! Vite, dépêche-toi! »

Elle avait créé une telle commotion en s'égosillant et en tempêtant, que toutes les autres filles se levèrent d'un bond comme des zombies et s'agenouillèrent au pied de leur lit. Elles s'étaient jointes à moi et priaient comme elles ne l'avaient jamais fait auparavant. Je suis demeurée accroupie, au cas où elle aurait d'autres sautes d'humeur et qu'elle perdrait le contrôle de ses mains.

« Prie ou tu seras punie! » criait invariablement Sœur Emmanuelle. Elle était hors d'elle-même, me poussant rudement la tête.

« Je serai une bonne petite fille. Je vous en prie, ne me faites pas mal! Cessez de hurler après moi! » Mon visage était baigné de larmes, toutefois je cherchais à me comporter normalement. Je ne pouvais pas m'empêcher de pleurer, ou encore compter sur quelqu'un pour voler à mon secours. Je suis demeurée simplement accroupie, au cas où elle aurait d'autres sautes d'humeur et qu'elle perdrait le contrôle de ses mains. J'étais la seule, ce jour-là, à qui elle s'en prenait et le tout avait débuté avant même que je me réveille, que je sorte de mes rêves.

Je ne comprends pas encore pourquoi Sœur Lafleur me chercha noise ce soir-là. Est-ce que j'étais la seule qui couchais dans la position fœtale? Quelqu'un aurait-il cafardé à cause que j'avais examiné mes parties intimes d'où sortait le pipi? Quelqu'un m'avait-il épié par la fenêtre de la toilette? Est-ce que des esprits soupçonneux auraient pu croire que j'avais des déviations sexuelles à un si bas âge? Depuis lors, je suis devenue méfiante des adultes de mon entourage. La nuit je tombe de rêves en cauchemars, de cauchemars en convulsions nerveuses.

Tout au long de notre stage au pensionnat nous avons été victimes de mauvais traitements. J'ai vu des filles se faire tirer les cheveux, surtout lors de la séance de dépouillement à leur retour de vacances ou durant la coupe annuelle des cheveux.

J'ai été témoin de pensionnaires à l'esprit lent tournées en ridicule parce qu'elles n'apprenaient pas assez vite. Bafouées devant tout le monde parce qu'elles avaient des infirmités physiques. Elles étaient comme des tares humaines et les Sœurs qui se targuaient d'être de saintes femmes se plaisaient à monter leurs travers. À force d'êtres brimées, brutalisées nous développions des troubles de comportement qui à ce jour nous affligent encore.

Je ne me souviens pas où se trouvait la salle des tortures au pensionnat, je crois que c'était dans un coin de la grande galerie où on nous infligeait des châtiments corporels. Les Sœurs nous administraient des punitions exemplaires si nous allions contre leur volonté. Elles frappaient les pensionnaires trouvées en faute sur les mains avec une palette de bois. Parfois, nous pouvions les entendre crier de douleur et sortir les yeux rougis devant tout le monde. Certaines d'entre elles étaient plus endurcies et je les ai vues émerger de la salle des tortures avec un air suffisant, souriant presque. J'ai goûté à leur médecine une fois. Quant aux plus récalcitrantes, afin de les humilier davantage, elles devaient exposer leur fessier afin que les Sœurs leur administrent des corrections avec une lanière de cuir. On racontait qu'elles trempaient les lanières dans la saumure afin de rendre le cuir plus cinglant. Certaines pensionnaires recevaient si souvent la fessée que nous avions l'impression que les Sœurs voulaient leur faire rentrer les vertus chrétiennes par le derrière. Nous vivions constamment sous la férule des Sœurs. Il fallait obéir à leurs ordres, à leurs moindres commandements.

* * *

J'ai été terriblement blessée par cet incident, alors que Sœur Emmanuelle Lafleur me réveilla durant la nuit et me châtiant, conséquemment c'est capital pour moi que j'en fasse le récit de cette malencontreuse mésaventure. On ne m'a jamais fait connaître les raisons pour lesquelles j'ai été réprimandée devant toutes les pensionnaires et la peine qu'on m'avait infligée pour la simple raison que je dormais recroquevillée, les mains dans mes cuisses. Alors que j'écris ce chapitre de mon livre je suis secouée par les sanglots, les larmes ruissellent de mes yeux, revivant la douleur que j'ai connue enfant.

Par la suite j'ai assisté à la messe célébrée à la chapelle pendant des années pour que je ne sois plus réveillée de la sorte. Personne n'avait été témoin de cette scène au dortoir, sauf les petites pensionnaires et Sœur Lafleur. Elle accomplissait ces actes en présence d'aucun adulte qui puisse en témoigner. Rien ne sortait de ce qui se passait au pensionnat parce que tout était tenu secret, quoiqu'elle ne s'exposait guère à la censure de son entourage. Sœur Lafleur était la suprême censeure. Ces règlements dont j'ai été victime me causèrent des troubles de fonctionnement au cours de ma vie d'adulte. J'ai peine à comprendre que j'aie pu survivre à la Sœur la plus cruelle qui fut donnée d'exister.

Lors d'une rencontre en 2005, mon amie Dora et moi, nous nous sommes remémorées cet incident dans le dortoir. Sœur Lafleur promulgua un ensemble de règles qui devait régir désormais notre sommeil. Nous devions avoir les mains jointes ensemble et appuyées contre notre joue. Il était rigoureusement interdit de mettre nos mains entre nos cuisses. Bien sûr, Sœur Lafleur décrétait des règles comme ça lui chantait. Évidemment qu'il y a des règlements qu'on doit suivre dans la vie; mais la cruauté, le crime des crimes, n'a pas sa place dans un pensionnat. À cause de cette seule pensée malsaine de Sœur Lafleur, j'ai hérité de troubles de comportement. Les choses de la chair sont restées taboues pour moi. Je n'ai jamais fait part de cela à ma famille. Un silence que chacun de nous garde sur sa vie intérieure.

Tout semblait être péché au pensionnat, tout particulièrement après cet incident, alors que j'ai été punie et humiliée tout simplement pour tenter de me garder au chaud. Depuis, je dors d'un sommeil agité; on me raconte que je dis : « Laisse-moi tranquille. Va-t-en. Ne me touche pas. »

Je ne peux plus supporter les hurlements. J'ai des problèmes auditifs. La nuit, durant mon sommeil, je grince des dents, ce qui occasionne des malaises aux mâchoires. Parfois je gémis, parfois les sanglots m'étouffent, me nouent la gorge.

Je n'aurais osé défier Sœur Lafleur enfant. Je n'ai jamais vraiment compris pourquoi elle se vengeait sur moi. Je croyais qu'elle agissait de la sorte parce que je n'allais jamais chez moi pendant les vacances estivales et ainsi elle pouvait sévir en toute impunité et si on lui avait reproché quelque chose elle en aurait été quitte pour une simple excuse. Je ne pouvais m'en remettre à personne pour épancher mon cœur, faire connaître mes craintes. *Personne ne devrait connaître une enfance malheureuse.*

Pour étrange que cela puisse être, nous étions souvent en conflit avec ce que les Sœurs Grises nous enseignaient. Elles professaient censément la foi en Jésus Christ, elles étaient mariées au Seigneur, cependant nous les trouvions froides, insensibles, calculatrices. Les gestes qu'elles posaient n'étaient pas toujours très convenables. Elles avaient tendance à faire souffrir les pensionnaires. Souvent en guise de punition, j'étais laissée toute fin seule au dortoir dans le noir, alors que les autres allaient à une festivité. J'étais abandonnée à moi-même. Aujourd'hui si des parents faisaient cela, ils feraient les frais d'un signalement. Je restais couchée dans mon lit sans avoir auparavant regardé au-dessous pour vérifier si quelqu'un aurait pu y être caché, dans la crainte qu'un monstre quelconque m'attaquerait. Ce n'était qu'au retour de toutes les autres filles que je laissais échapper un soupir de soulagement. Un soulagement d'autant plus vif que mes angoisses avaient été plus effarantes et terrifiantes.

Quand j'avais quatre, cinq ans, je ne comprenais pas pourquoi elles hurlaient constamment après moi, et en anglais. Maintenant, je sais que toutes ces vexations avaient pour but de me contraindre à suivre leur système de valeurs. À ce jeune âge, j'étais tenue d'apprendre les convenances des Sœurs, leur sens moral, leur hygiène corporelle, mais à ce stade de mon enfance je ne faisais qu'imiter machinalement ce que les autres filles accomplissaient. Les Sœurs ne s'étaient jamais données la peine de m'expliquer quoi que ce soit. Il fallait simplement suivre les ordres, sans aucune motivation rationnelle. J'agissais comme si j'étais dans un état hypnotique. C'est extraordinaire tout ce l'on peut faire dans un tel état d'engourdissement ou d'abolition de la volonté. Souvent, il me venait à l'idée que je devrais être déséquilibrée ou encore avais-je le cerveau fêlé pour agir si maladroitement et de faire tant de faux pas. Ce fut une époque difficile pour moi, elles étaient intransigeantes avec moi. La plupart du temps, j'étais mécomprise, mais je me suis vite rendue compte qu'on ne tolérait pas les manquements dans les pensionnats.

Quelqu'un peut mettre en doute le fait que j'aie été victime de brimades indues, contester la justesse de mon raisonnement, mais il faut que l'on me croit, m'écoute et que je puisse exprimer mes sentiments. Tout le monde peut faire des choix, mais en tant que jeune aborigène ce n'était pas mon lot. Nous étions dominées par des adultes, nous devions obéir, nous conformer à leur enseignement. C'était ainsi dans les pensionnats institutionnels en 1950 et la décade suivante.

Au nom de la colonisation, de l'assimilation et de l'éducation, plusieurs jeunes autochtones furent spoliés de leur culture, leur patrimoine et leur langue, élevés dans l'infamie et l'horreur. Nous n'étions pas choyés et cajolés. Quand j'étais au pensionnat, j'ignorais même ce que c'était une cellule familiale. Nous avions été élevés sans recevoir aucune éducation sexuelle, dépourvus de la moindre connaissance d'économie familiale, dans l'ignorance des méfaits que l'alcool peut causer aux Aborigènes.

Nous nous comportions admirablement aux yeux des autorités religieuses en place; toutefois, nous n'étions pas préparés à vivre hors de l'enceinte de la sévérité, la modestie et la politesse. Nous vivions en proie à une vive anxiété. Nous étions complètement démunis confrontés au monde extérieur. Nous n'étions pas prêts à prendre nos responsabilités une fois devenus adultes. Nous méconnaissions nos droits relatifs à notre citoyenneté canadienne. Nous devions réapprendre à vivre à l'extérieur du pensionnat et la liberté nouvelle que nous venions d'acquérir.

Les enseignements que nous recevions dans les cours ne faisaient jamais mention des coutumes, du mode de vie traditionnel des Dénés. Au pensionnat, nous avions coupé tous les liens avec nos ancêtres. J'éprouvais de la honte, un terrible sens d'infériorité d'être indienne, humiliée dans mon légitime orgueil propre à la nation dénée. Tout cela est dû à la négligence des Sœurs Grises parce qu'elles n'ont pas accompli leurs fonctions en tenant compte des besoins qui sont propres à nous, Indiens.

Une Apparition

Tard un soir, alors que je me trouvais au dortoir couchée dans mon lit, je me suis réveillée et j'ai aperçu quelque chose qui me pétrifia. C'était une forme blanche suspendue dans les airs à peu près à une demi-verge du sol, au pied de mon lit. Je me suis réveillée parce que j'avais froid et j'ai remarqué que mes draps et ma couverture de laine des surplus de l'armée étaient soigneusement pliés au pied de mon lit. Il en était de même de l'édredon, comme c'était la coutume selon les règlements. Je pouvais voir tout droit à travers le spectre la colonne qui était derrière. Le spectre était enveloppé d'une substance nébuleuse qui brillait au milieu de l'obscurité totale. Il était complètement immobile et taciturne, mais authentique.

Je tremblais de peur. Mon cœur battait à tout rompre. J'ai empoigné mon drap et j'ai essayé de le tirer vers moi. Après beaucoup d'efforts, je suis parvenue à le déplier et m'en couvrir. J'avais les yeux exorbités et j'étais remplie d'épouvante. J'ai saisi vitement mon chapelet qui était enfoui sous mon oreiller et je me suis mise à prier, le drap au-dessus de ma tête. Je tenais le drap de toutes mes forces afin que personne ne puisse me l'enlever. J'étais atterrée par la peur, recroquevillée sur moi et crispée. Je ne pouvais plus retrouver le sommeil. Après un long moment, j'ai regardé du coin de l'œil, toujours cachée sous le drap. L'apparition s'était évanouie, je n'apercevais que le pilier. Mon Dieu, j'étais morte d'effroi. Je me souviens de cet évènement comme si c'était hier.

Au moment de cette apparition, j'étais âgée de cinq ans et pendant des années j'ai dormi d'un sommeil perturbé. J'ai fait part à plusieurs personnes de cette manifestation, mais aucune n'a pu m'éclairer. Plusieurs de mes compagnes affirmèrent que c'était un fantôme, quant à moi j'espérais que ça soit la Vierge Marie ou un ange, néanmoins à ce jour je n'en sais rien.

Ma mère m'a relaté que cela pouvait être une tante qui venait de mourir et qui voulait une dernière fois me voir avant de partir pour l'au-delà. Les Sœurs et les Prêtres n'ont jamais abordé au pensionnat les pouvoirs que détenaient les Chamans, la réincarnation, la croyance des Esprits, le culte de la nature. On nous prêchait Dieu. On nous a enseigné que Jésus, la Vierge Marie étaient au ciel entourés des anges, mais on ne nous a jamais appris à invoquer les Mânes de nos ancêtres. De nouveau j'étais aux prises avec mes craintes, retraçant dans ma tête le dénouement de cette extraordinaire scène. Cette nuit-là, j'étais restée éveillée alors que tout autour de moi on dormait profondément, entre autres ma compagne Christine, qui voisinait mon lit. J'appréhendais que le spectre réapparaisse au dortoir. Ce n'est qu'après bien des années que j'ai pu m'en remettre.

Chose intéressante, mon frère George s'est fait presque Chaman après qu'une semblable apparition se révéla à lui lorsqu'il avait environ dix ans. Il a raconté qu'il avait éprouvé une certaine crainte à accepter la vision lumineuse, alors il n'est jamais devenu Chaman. Il ne se croyait pas digne de découvrir ce qui est caché, de prédire l'avenir par des moyens qui relèvent du surnaturel, l'invocation des morts, la chasse aux esprits malfaisants. Je me suis toujours demandé si j'avais été témoin d'une apparition similaire. Aurais-je pu devenir Chaman? Pouvoir sonder les reins et les cœurs, l'inconscient, l'instinct et la volonté. Ai-je moi de même décliné la vision lumineuse à ce jeune âge?

Une Autre Manifestation

Il arrivait malencontreusement que des pensionnaires mouillent leur lit la nuit. La religieuse responsable du dortoir, afin de punir les coupables, faisait parader ces dernières d'une manière outrageante et avilissante devant tout le monde avec leurs draps souillés, se dirigeant vers la buanderie. Elles ne savaient pas pourquoi il leur arrivait des incidents urinaires. Certaines filles racontaient qu'il y avait un diable qui vadrouillait la nuit, d'autres avaient aperçu quelqu'un affublé d'une grande robe noire qui circulait autour de leur lit. En ce qui me concerne, je n'avais rien vu. Il arrivait parfois, en guise de punition, que je dusse rester seule dans le dortoir alors que tous les autres assistaient à une séance de cinéma. J'avais très peur et je n'osais pas me lever pour aller aux toilettes. J'occupais maintenant un lit qui se trouvait en plein milieu du dortoir, près des lavabos.

Une nuit alors que je dormais dans la section des plus jeunes, j'avais environ six ans à l'époque, je me suis réveillée, le lit imbibé. J'étais affolée parce que je savais qu'elles allaient être les conséquences. Les contrecoups à ces accidents urinaires étaient sévères, psychologiquement, physiquement et verbalement. Une vraie calamité. Une scène dantesque et cauchemardesque dont j'avais été témoin si souvent. C'était à fendre le cœur de les voir humiliées ainsi ouvertement.

Conséquemment, je savais que j'aurais à faire face à de gros ennuis, mais au même moment j'ai senti quelque chose près de moi dans mon lit, quelque chose de doux, de réconfortant, ample et dense, cependant j'ignorais ce que c'était. J'étais sidérée. J'étais trop effrayée pour me retourner, mais je savais qu'il s'y trouvait quelqu'un. J'ai glissé la main sous l'oreiller et j'ai pris mon chapelet. J'ai commencé à prier et je suis parvenue à me rendormir malgré tout mon désarroi et les draps mouillés.

Le lendemain au réveil au son de la cloche, je fis semblant que rien ne s'était passé. Je me suis agenouillée, récité mes prières espérant que personne ne s'aperçoive de quoi que ce soit. Il n'y avait aucune odeur d'urine qui se dégageait de mon lit et il ne semblait pas y avoir de cercle humide, si ce n'est qu'une petite tache jaunâtre que je me suis empressée de camoufler sous le lit le mieux fait dans tout le dortoir.

Ainsi donc ce samedi-là tout s'est déroulé comme d'habitude. Après nous être lavé le visage, avoir brossé nos dents, coiffées et habillées, nous avons mis en paquet nos draps et les avons apportés à la salle de lavage. À ce jour, je remercie le ciel d'avoir échappé au courroux de la Sœur surveillante. J'ai été sauvegardée cette nuit-là par un être bienveillant, venu de nulle part et évanoui dans la nuit, qui avait veillé sur moi. C'était peut-être mon ange gardien venu à ma rescousse.

Je suis bien reconnaissante d'avoir échappé à la furie que d'autres pensionnaires ont connue. Gare à celles qui mouillaient leur lit. Je me souviens du grand émoi que cela causait dans le dortoir. La Sœur surveillante arrachait en tirant les draps du lit de la coupable, hurlant comme une folle qui aurait dû être internée il y a longtemps. Songez un peu à toute la dégradation morale, la déchéance à laquelle elles furent soumises, les hantises et les perturbations psychiques qui en découlaient—troubles d'élocution, de sommeil, de personnalité. Au lieu de procurer des soins à celles qui étaient affectées de problèmes urinaires, on les rudoyait et violentait ce qui par malheur amplifiait d'une manière perverse leurs dysfonctionnements.

Un Séjour à l'Hôpital

L'hôpital a été construit en 1938—détruit par le feu en 1970—
était relié au pensionnat par un couloir. Les murs de l'hôpital
étaient lambrissés de boiseries jusqu'à la cimaise. Les panneaux qui
garnissaient les murs avaient été fabriqués à la scierie, située à plusieurs milles du pensionnat et était régie par les Frères convers
Oblats. L'hôpital bourdonnait d'activités quand je suis arrivée à
Fort Resolution en 1952. Quand j'y fus admise à l'hôpital, l'immense bâtiment brillait d'une pureté étincelante et était pourvu
de lits en métal blancs.

Un jour bien ordinaire chambarda mon stage au pensionnat—je me suis retrouvée à l'hôpital. Il était interdit de courir dans
les escaliers ou de glisser sur les rampes. Insouciante du règlement,
je suis sortie à la hâte et je me suis mise à descendre sur la rampe
du grand escalier extérieur. Ma glissade fut interrompue brutalement par un vilain clou qui avait bêtement échappé à la diligence
des menuisiers. J'ai basculé et roulé jusqu'en bas de l'escalier. J'ai
atterri contre un amas de briques déposées là par les maçons qui
s'affairaient à réparer la cheminée. Mes compagnes se souvenaient
que je saignais abondamment.

Je me suis réveillée à l'hôpital avec le nez fracturé et recouvert d'un pansement. J'avais fortement endommagé les membranes
muqueuses qui tapissent les cavités nasales. Les Sœurs hospitalières,
prévenantes et bien intentionnées envers moi, étaient toutes de
blanc vêtues contrairement aux Sœurs qui dirigeaient le pensionnat

dont l'habit était d'un brun clair et qui nous mettaient constamment à l'épreuve. Les Sœurs de la Charité, communément appelées les Sœurs Grises, venues évangéliser les Autochtones furent les premières infirmières dans les Territoires du Nord-Ouest. Je me souviens tout particulièrement de Sœur Cardinal, une grosse femme joufflue, un sourire étincelant illuminant son visage, qui se trouvait à mes côtés lorsque j'ai repris connaissance dans mon lit d'hôpital. Ayant pris un peu de mieux, elle me permit de circuler librement dans les couloirs de l'hôpital et de visiter d'autres patients sur l'étage. Elle me choyait de gâteries; elle avait un regard plein d'indulgence et m'entourait de prévenances.

Ma blessure au nez ne s'est pas rétablie adéquatement et me causa beaucoup d'ennuis. Mon nez coulait constamment et j'avais souvent recours à mon mouchoir qui se trouvait dans la poche droite de mon jupon. Pour avoir accès à mon mouchoir, il fallait que je soulève ma robe d'une manière discrète, à l'écart des gens selon les préceptes que nous enseignaient les Sœurs Grises. Peu à peu nous avons été introduites aux convenances et aux bonnes manières en usage chez les Blancs. Les autorités gouvernementales se sont sans doute félicitées de cette transformation chez nous qui ne fut pas toutefois accomplie sans heurts après toutes ces années confinées dans une institution, coupées de tous liens avec nos familles. Malgré tout, nous avons reçu des soins de santé à foison. Nous nous faisions faire un bilan médical annuellement par des médecins de passage.

Nous recevions des vaccins pour tout genre d'infections bactériennes. Nous passions des radiographies, des examens dentaires et oculaires. Nous étions informées des maladies contagieuses. Puisque nous vivions côte à côte, nous avions souvent la grippe et les germes des maladies infectieuses se propageaient d'un enfant à l'autre; bronchite, gastrite, les oreillons, la rougeole, la rubéole. La poliomyélite qui commençait à se répandre dans le Nord fit beaucoup de ravage dans les communautés. Les pauvres Sœurs hospitalières s'occupaient toutes de nous à la fois. Malgré tous leurs bons soins, elles semblaient ignorer la transmission de la maladie par contage. Pour prendre nos médicaments, nous buvions toutes à la même tasse. Elles nous distribuaient du sirop pour la toux ou encore de l'huile de foie de morue avec la même cuillère, alors les bactéries voyageaient d'une personne à l'autre. Elles voulaient nous rendre service et nous lui en étions bien reconnaissantes, mais elles semblaient en oublier les conséquences.

Mes Amis

Au cours de mes années en institutions, je me suis fait beaucoup d'amis : Lucy, Dora, Emelda King, Rosa Bishop, Alex Nitsiza, Bob, Christine, Cecilia, Francis, Joyce, Dorothy, Alice, Ruth, Martha, Elsie, Irene, Angelina, Bernadette, Anita et plusieurs autres. Ce sont là des garçons et des filles que j'ai rencontrés lors de mes séjours dans les pensionnats, je les appelle mes frères et mes sœurs institutionnels. Pendant plusieurs années, j'ai grandi avec plusieurs enfants autochtones dans des pensionnats dirigés par des Religieuses en conformité avec des règlements excessifs et absurdes. Nous avons été élevés tous de la même manière par des éducateurs et des éducatrices présentant des troubles dysfonctionnels en lieu de nos parents qui nous chérissaient, loin de nos foyers.

Il y a quelques années, un de mes meilleurs amis Alex Nitsiza contracta le virus de la poliomyélite à très bas âge avant sa venue au pensionnat St-Joseph. Suite aux séquelles de cette terrible maladie infectieuse, il devait se déambuler à l'aide de deux cannes. Ce n'est qu'en 1953 qu'un vaccin contre la poliomyélite fut mise à jour, mais Alex avait déjà contracté la maladie.

Depuis mon séjour au pensionnat je garde un bon souvenir d'Alex. C'était un compagnon agréable, gentil et sociable. Je le côtoyais tous les jours en classe. Il avait constamment le mot pour rire. Il aimait jouer des tours et il était invariablement souriant. J'avais toujours hâte de le rencontrer. À ce jour, il n'a pas changé.

Toujours est-il que les religieuses nous faisaient prier à la chapelle pour la guérison miraculeuse d'Alex. Elles croyaient en une intervention divine. On priait la Vierge Marie tous les jours afin d'intercéder pour Alex alors qu'il remontait à l'aide de ses deux cannes vers la balustrade où se trouvait la statue. Nous le regardions se diriger d'une manière chancelante, manquant de trébucher à plusieurs reprises.

Enfin, le grand jour arriva au mois de mai. Après une neuvaine de prières intensives et d'exercices de piété de toutes sortes, la chapelle bondée de monde dans la perspective d'une guérison miraculeuse comme cela se produisait à Lourdes. Deux Dénés soutenaient Alex pendant qu'il s'acheminait vers l'autel de la Vierge Marie. Mais le miracle tant attendu ne se produisit pas.

Plusieurs années plus tard, lors d'une rencontre, nous nous sommes remémorés, Alex et moi, cet évènement. On s'est bien gaussé; Alex le prit à la blague. Cependant, je considère que c'était une mauvaise plaisanterie de la part des Religieuses cherchant à lui faire croire qu'un jour il retrouverait l'usage de ses jambes. Je me blâme un peu d'avoir cédé aux invocations magiques, aux pouvoirs occultes.

Je suis fière d'Alex aujourd'hui et, malgré les difficultés qu'il a connues au pensionnat à la perte de ses fonctions motrices, il est entouré d'une belle famille. Il mène une brillante carrière dans les affaires. Il est propriétaire d'une confiserie à Whati dans les Territoires du Nord-Ouest. Il représente le Gouvernement Tli'cho lors de réunions spéciales concernant la gestion de l'économie ayant lieu à Yellowknife. Il conduit un camion spécialement équipé qui lui permet de se véhiculer. L'hiver il profite de la route, tracée sur le lac glacé, qui relie la communauté.

Quand j'ai commencé à travailler au Ministère des Affaires Indiennes et du Nord en 1972 Alex oeuvrait déjà en la gestion financière depuis un bon moment. J'étais heureuse de le revoir et d'entendre son rire contagieux à nouveau. C'est toujours un plaisir d'échanger avec Alex. Il est l'un de mes meilleurs amis, d'une grande sagacité et toujours à la hauteur de la situation. Notre amitié remonte aux années 50 et je m'estime heureuse de la partager.

Je conserve des liens avec mes anciennes compagnes et compagnons des pensionnats bien que nous ne puissions pas toujours être au courant des derniers évènements en vertu des contraintes auxquelles nous sommes soumis. Mais je les considère toujours mes frères et mes sœurs. J'ai rencontré certains et certaines d'entre eux dans des endroits les plus inattendus à Edmonton, Calgary, Montréal, Ottawa, Vancouver et Toronto.

J'ai croisé des amis aux prises avec de graves problèmes de toxicomanie découlant des sévices subis dans les pensionnats. D'autres sont devenus alcooliques, mais certains sont parvenus à surmonter leur dépendance pour s'adonner par la suite à des jeux de hasard. D'autres encore après avoir consommé des médicaments sur ordonnance année après année en raison des tensions de la vie moderne, après avoir vécu en vase clos durant des années d'internat ont développé une pharmacodépendance.

Les effets de cette épidémie sociale se font maintenant sentir auprès de la génération montante. Le retour à la vie normale pour ceux qui ont fait un usage abusif de stupéfiants est ardu d'où le besoin criant dans les Territoires du Nord que des soins soient apportés.

Les pensionnats firent partie d'un programme mis en place par le Gouvernement avec la collaboration des autorités religieuses, donc c'est à eux de trouver des solutions aux problèmes que vivent les Autochtones tant au Nord qu'au Sud. À ce jour nous ne pouvons que critiquer la voie suivie par ces derniers. Moi et mes amis avons foulé ce rude sentier, apprenant à nous définir en tant qu'Autochtones ce qu'ils ont négligé de faire. Nous parviendrons un jour au bout du tunnel, mais pour y arriver il faut que nous obtenions une assistance gouvernementale avec la collaboration des communautés religieuses.

Des Activités à Longueur d'Année

Pour nous occuper au pensionnat, surtout les samedis et dimanches, nous avions toutes sortes d'activités; car l'oisiveté selon les Sœurs était la mère de tous les vices. Nous nous adonnions à des jeux de loisirs tels que le casse-tête chinois, osselets, cubes, abaque, dominos, toupie et diabolo. Nous chantions des chansons en français et en anglais, « Farmer in the Dell » ou encore on s'amusait sagement durant les heures de silence à des jeux éducatifs alors que les Sœurs lisaient en français. Nous nous adonnions à des jeux de groupe afin de nous sociabiliser, mais encore là ce n'était pas un apprentissage qui allait nous être très utile dans la vie.

Les activités ne variaient guère d'une saison à l'autre. À l'automne et au printemps, on se délassait en jouant à la marelle, sautant à la corde, à la cachette, au chat, à la balle au mur. Il y avait toujours quelque chose à faire lorsqu'on se recréait dehors, parfois nourrissant même les poules et les dindes en leur donnant de l'herbe; il y avait un taureau qui errait dans le champ et qui m'intriguait beaucoup en raison de l'air étrange qu'il avait. Certains jours nous prenions des marches, deux par deux et en rangée avec nos bérets vissés sur la tête. Dans la cour des petites filles, il y avait également deux immenses balançoires en bois solide.

Dans un coin de la cour se trouvait une colossale glissade, une structure qui me paraissait bien haute à mes yeux d'enfant. L'hiver venu, les Frères Oblats l'arrosaient. On attendait à la queue leu leu avec fébrilité pour se laisser descendre avec notre costume de neige, puis revenir en courant monter à nouveau pour glisser encore et encore. À l'approche du printemps, vers le mois de mars, ils accumulaient également la neige en une gigantesque colline du haut de laquelle étaient couronnés le Roi et la Reine, les heureux élus qui avaient trouvé dans leurs petits gâteaux les billes appropriées. Nous entourions le gros morne et sous nos joyeux applaudissements nous assistions au couronnement de la Reine et du Roi qui portaient des vêtements d'apparats pour l'occasion.

Je me plaisais beaucoup en présence des Frères Oblats qui étaient toujours souriants et d'un caractère réservé et tout à la fois circonspect. Je me souviens des Frères Ouelette, Vachon, Labonté et Légaré qui étaient tous si gentils. Ils n'avaient rien de l'allure piaillarde et tonitruante des Sœurs Grises.

Il y avait également un long poteau de bois planté dans la cour et garni d'un ruban qu'on enroulait autour : le mât enrubanné. Nous avions pratiqué pendant des mois et des mois cette danse qui ressemble beaucoup à du ballet. Un jour de mai devant un parterre composé de l'évêque et de presque tous les prêtres de Fort Resolution, nous nous exécutions avec une virtuosité chorégraphique et dont nous retirions une grande fierté.

Le mât servait également à des fins sportives. Il était muni alors d'un gros câble noué auquel on s'accrochait et se balançait le plus haut possible. Lorsque la cloche annonçait la récréation, nous sortions toutes à l'extérieur comme des démentes pour parvenir au mât en premier. On s'y donnait à cœur joie, nous procurant ce faisant des sensations fortes. Certaines d'entre nous excellaient, mais personne ne pouvait égaler l'exploit de mon amie Dora, forte et bien constituée. Elle se livrait à cet exercice physique comme une vraie athlète. On observait jalousement les progrès de notre rivale. Somme toute, le mât nous procurait beaucoup de plaisir.

Aller en excursion était toute une aventure pour moi. À l'occasion on pique-niquait et l'on se rendait à destination soit par bateau, en camion ou encore on marchait. Si vous étiez assez chanceuses d'avoir de la menue monnaie, vous pouviez aller au comptoir de la Baie d'Hudson qui se trouvait à un jet de pierre du pensionnat pour acheter des friandises, des tablettes de chocolat, ou de la gomme à mâcher. Un arôme d'oranges et d'autres fruits exotiques flottait dans l'air. À l'époque on utilisait les anciennes caisses enregistreuses actionnées par un bras et qui tintaient joyeusement lorsque le tiroir ouvrait. Malgré mon impécuniosité je m'y suis rendue à quelques reprises pendant mes six années de pensionnat me bornant à admirer les étalages avec un regard envieux.

Tous les dimanches, nous assistions à des séances cinématographiques dans la section des garçons. Il y avait des films de plusieurs genres, mais ceux qu'on appréciait le plus étaient les westerns, la conquête de l'Ouest sur les Indiens. Que cela ne tienne que l'on soit tous des Autochtones, nos acclamations étaient dirigées vers les cowboys. Nous avions été amenés à croire, sous le regard approbateur des religieuses, que les Blancs étaient supérieurs aux Indigènes, à nos ancêtres dans notre propre pays. Tout cela était un tissu de mensonges auquel nous avions donné foi avec une impardonnable naïveté.

Un jour où nous jouions dans la cour du pensionnat, il m'est arrivé une petite mésaventure. Je m'amusais avec un ballon tout près d'un endroit interdit. J'ai frappé le ballon un peu trop fort et il s'est retrouvé dans les herbes hautes. Je me suis mise à la recherche du ballon en espérant que je ne sois pas repérée par la surveillante. Pendant que je m'affairais au milieu des broussailles, la cloche annonça la fin de la récréation, abandonnant le ballon à son sort. Comme je l'avais prévu, la surveillante s'aperçut que le ballon n'était pas dans son casier habituel.

Un coup de sifflet retentit et la Sœur demanda qui la dernière jouait avec le ballon. Tout le monde garda le silence, bien que certaines de mes compagnes m'avaient vu jouer à cet endroit.

Je suis demeurée moi aussi bouche cousue. Nous avons toutes été envoyées à sa recherche. Je suis allée à l'endroit où je croyais que le ballon serait, puis je me suis aventurée un peu plus loin au milieu des plants rabougris, des ronces et d'aiguillons crochus, croyant que je serais bientôt la proie d'un serpent vénéneux comme dans les films de Tarzan.

Je suis revenue tout égratignée, ébouriffée, le ballon dans les mains. Je l'ai remis à la Sœur. Elle voulait savoir qui avait joué à cet endroit. Je ne lui ai pas avoué ma faute de peur d'être réprimandée. Mes compagnes s'étaient bien gardées de me rapporter. Nous avions convenu à un pacte d'alliance et d'amitié. Peu à peu, j'avais appris à avoir recours à la fourberie afin de me protéger des mauvais traitements des Sœurs Grises sous l'autorité desquelles je me trouvais.

Père Heramburu. Avec l'aimable autorisation des Archives de l'Église catholique. Yellowknife, T.N.O.

Je me souviens d'un prêtre originaire de France, le Père Haramburu. Il était très agile au soccer, et de plus il était charmant. Nous courions à sa suite afin de lui enlever le ballon, mais c'était peine perdue et à bout de souffle nous devions concéder la défaite. Il maniait le ballon avec une habileté invraisemblable. Quel jeu de pied! Il faisait rebondir le ballon sur sa tête à plusieurs reprises et d'autre jeu de passe-passe sans avoir recours à ses mains parce que ce n'est pas permis. C'était un prêtre enjoué d'un caractère jovial qui semait la joie autour de nous chaque fois qu'il nous rendait visite. Nous gardons un bon souvenir de lui.

Tard à l'automne les Frères Oblats s'affairaient aux patinoires que nous attendions avec impatience. Ils érigeaient des bandes et remplissaient partiellement l'enceinte d'eau qui gelait par temps froid. Il y avait deux patinoires, l'une pour les filles et l'autre pour les garçons. Le moment venu, les patins étaient tous posés pêle-mêle dans la grande salle et pendant une bonne partie de la journée nous cherchions à agencer une paire de patins qui ne seraient pas, quant à moi, trop grands. Nous gardions les patins qui nous étaient attribués pour toute la saison et les Frères se chargeaient de les affûter.

J'ai appris à patiner à très bas âge. Au début je me tenais après les bandes avançant de quelques pas jusqu'à ce que j'aie assez d'équilibre pour m'élancer au centre de la patinoire. Je me souviens d'avoir vu des films mettant en vedette Barbara Ann Scott et je rêvais de patiner comme elle. Les mois d'hiver étaient très rigoureux dans le Grand Nord et souvent nous nous adonnions à ce sport par des températures de moins 35°. Après plusieurs heures passées sur la patinoire, nous rentrions pour nous réchauffer. J'avais l'impression que je ne parviendrais jamais à me dégeler les pieds, mais peu à peu je commençais à sentir des picotements.

Parfois nous avions la permission de regarder les garçons jouer au hockey, toutefois je n'avais toujours pas l'autorisation d'échanger avec mon frère. C'était plutôt rare, mais je l'entrevoyais occasionnellement le dimanche ou lors de séances cinématographiques. Mon ami Alex Nitsiza m'a raconté qu'il avait rencontré un ancien copain des années d'internat qu'il avait pour mission de tirer Alex sur un traîneau l'hiver parce qu'il était handicapé. Cet arrangement lui avait échappé, mais il se souvenait avec joie de ses randonnées en traîneau.

Les Sœurs tenaient à ce que nous soyons occupées en tout temps. En dehors des heures de récréation passées au grand air ou par temps maussade, à l'intérieur, à des jeux de société, nous nous consacrions à des pièces de théâtre sous la direction des Sœurs. Nous avions à notre disposition bon nombre de costumes. Il y avait entre autres une pièce de théâtre au sujet d'une femme qui avait plusieurs partenaires. Elle les cachait sous un drap et leur disait d'avoir l'air d'une chaise et de rester immobiles, alors qu'elle faisait la connaissance de chacun d'eux lorsqu'ils entraient. À la fin tous les partenaires dissimulés furent découverts lorsque son mari s'est assis sur l'un d'eux qui soudain reprit vie. C'était plutôt étrange comme pièce de théâtre, mais je me plaisais à la regarder. Au pensionnat il n'y avait aucun appareil radio, conséquemment nous étions coupées du monde. Quant à la télévision, aucun signal ne parvenait à Fort Resolution.

Des Cérémonies Religieuses Particulières

Tous les dimanches, nous assistions à la grand'messe qui avait lieu au milieu de la matinée et nous ne mangions qu'au retour de l'église, suivant le service religieux, à l'heure du midi. Il fallait toujours être à jeun avant de communier. Dans la soirée nous nous rendions à la chapelle pour réciter le chapelet. En semaine nous le disions dans la salle de récréation, assises sur les bancs. Un chapelet avait été distribué à chacune d'entre nous lors de notre entrée au pensionnat. On faisait glisser entre nos doigts les grains tout en répétant comme des perroquets des Pater et des Ave. Nous priions pour obtenir la rémission de nos péchés. Je baillais aux corneilles durant cette période, car j'étais bien jeune et une enfant espiègle qui demandait toujours de l'attention.

Un soir durant la récitation du chapelet il m'était venu à la tête d'épouvanter tout le monde. La porte du grenier situé sous les combles était légèrement entrebâillée et j'ai dit à ma voisine que quelqu'un avait ouvert la porte. Elle murmura à celle qui était à ses côtés et bientôt tout le monde avait cessé de prier dans la commotion qui s'était ensuivie. La Sœur alla vérifier la porte et découvrit une cale qui tenait la porte entrouverte. Elle montra l'objet délictueux à tout le monde, au grand soulagement de toutes. Nous sommes retournées à nos prières. Ce canular avait pour effet d'injecter un peu de gaieté dans cet exercice religieux qui m'inspirait l'ennui. Oh là là, que j'étais friponne!

Noël était un évènement qu'on attendait fébrilement non

pas à cause des cadeaux, mais parce qu'on célébrait la naissance de Jésus. Nous assistions à la messe de minuit à l'église qui était toute décorée pour la solennité. J'étais toujours émerveillée par la crèche, l'Enfant-Jésus, Marie et Joseph, les bergers, l'âne, le bœuf et les moutons. Un moment d'une intensité inouïe. La façade de l'église était magnifiquement éclairée. Le six janvier, l'Épiphanie, s'ajoutaient les trois rois mages guidés par une étoile et montés sur des chameaux venus adorer l'Enfant divin. La petite église—considérable pour le Nord, pouvant contenir 600 personnes—était bondée de gens le soir de Noël venus du village. Je regardais ceux qui venaient communier, les enfants accompagnés de leurs parents.

La visite du Père Noël était un moment fort attendu. L'un des Pères venu nous rendre visite nous signalait qu'il avait entendu des pas sur le toit. Soudain tout devenait calme. Nous étions tous aux écoutes—c'était un rare moment où nous nous retrouvions tous ensemble, garçons et filles—pour entendre le traîneau tiré par les rennes. Nous ne pouvions pas voir grand-chose dans le noir, les fenêtres étant givrées. Soudain apparaissait le Père Noël en barytonnant, son sac plein de cadeaux. Il nous appelait un par un et l'on s'approchait pour recevoir notre présent. Je me souviens d'avoir reçu une fois un miroir double. C'est le seul cadeau dont j'ai souvenir. Nous n'étions pas tellement gâtés à Noël, tout de même nous étions heureux.

Notre salle de récréation était ornée d'un gigantesque sapin enjolivé d'ornements réalisés avec art. Les Frères Oblats avaient découpé dans du papier métallique des bandes étroites pour en faire des glaçons qui brillaient et étincelaient à la lumière. Des banderoles en papier crêpé rouge et vert sillonnaient le plafond, s'entrecroisant en son centre. Nous chantions des chansons de Noël : « Jingle Bells », « Oh Christmas Tree ». Nous étions parés ce jour-là de nouveaux vêtements, tout identiques. En soirée, nous visionnions des films et de plus nous étions choyés de dessins animés.

Pâques, une autre grande fête religieuse qui était précédée par le carême. Une période d'abstinence et de privation pour nous, les prêtres et les religieuses de plus jeûnaient. L'on pouvait gagner des indulgences plénières, accordées pour la remise de toutes les peines temporelles. Durant la semaine avant Pâques, la semaine sainte, toutes les statues et la croix étaient recouvertes d'un voile noir. Les vêtements sacerdotaux étaient de couleur violette. Vendredi Saint, précédant le dimanche de Pâques, on revivait la mort du Christ en priant devant les stations du chemin de croix et toutes nos pensées étaient tournées vers le jour du jugement dernier.

Quand j'étais très jeune, j'avais de la difficulté à comprendre l'ordre chronologique des fêtes de Noël et de Pâques. Nous venions de célébrer la naissance de Jésus et voilà que quatre mois plus tard il mourait sur la croix. Cela m'embêtait quelque peu. Je n'avais jamais osé questionner les Sœurs à ce sujet parce que j'étais trop intimidée. Ce ne fut que beaucoup plus tard que j'ai compris.

Samedi Saint, la petite église bourdonnait d'activités. Presque tous les prêtres des environs ainsi que l'évêque se réunissaient à Fort Resolution. Lors de la célébration de l'Eucharistie, les prêtres portaient des vêtements sacerdotaux blancs et à tour de rôle ils s'allongeaient dans l'allée centrale et l'évêque les bénissait. Je me souviens des noms de quelques prêtres : les Pères Marrick, Haramburu, Ebner, Gillis et Brown pour n'en citer que quelques-uns.

La veille de Pâques, tout comme à Noël, il y avait une messe de minuit; nous célébrions la résurrection du Christ. L'église résonnait des plus beaux hymnes que nous avions pratiqués en latin depuis plus d'un mois et lorsque les prêtres et les sœurs se joignaient au chœur de chant un frisson me sillonnait le corps. Le jour même de Pâques, les cloches sonnaient à toute volée et nous nous rendions à l'église revêtus de nos beaux habits, plus soignés que d'habitude. Peu à peu l'église se remplissait des gens du village venus

Procession lors de la consécration de l'église. Le 13 septembre, 1931. Fort Resolution, T.N.O. Archives provinciales de l'Alberta OB 10724.

faire leurs pâques, recevoir la communion selon les préceptes de l'église.

Pour couronner cet évènement, un repas fastueux nous attendait. Mais le clou de la fête c'était la visite des Religieux Oblats. Ils nous traitaient avec beaucoup d'indulgence que les Sœurs Grises taxaient de partialité. Ces dernières devenaient plus sévères alors que nous devenions plus raisonnables. Alors que nous étions toutes réunies dans la salle de récréation, les Religieux Oblats lançaient des arachides en écaille sur le plancher. À qui mieux mieux on se bousculait pour ramasser le plus grand nombre d'arachides que possible que j'enfouissais dans mon tablier. Certaines ne parvenaient pas à s'en emparer de beaucoup alors je les partageais avec elles. Les Sœurs nous permettaient, exceptionnellement, de jeter par terre les écailles. Par la suite les Religieux Oblats bavardaient avec nous, apportant à certaines des nouvelles de leurs parents. Pour ma part, je n'en avais jamais.

Mai c'était le mois de Marie. Nous lui rendions tous un culte particulier. Nous nous rendions en procession du pensionnat à l'église. Les prêtres en surplis brodés d'une fine dentelle ajourée ouvraient la marche escortés des enfants de chœur. Suivaient les Sœurs encapuchonnées de noir, puis les garçons dans leurs plus beaux habits emboîtaient le pas et enfin les filles voilées de blanc marchaient derrière. Tout le long de la procession, nous entonnions des chants religieux. Nous devions créer toute une attraction pour les yeux des villageois qui nous regardaient passer.

La vie au pensionnat était presque une prière continuelle et conséquemment j'étais animée de sentiments de piété. Pendant des années j'ai assisté à la messe à tous les matins. Je me sentais appelée par Dieu. Je voulais devenir une sœur.

Deux films furent à l'origine de ma vocation éphémère. L'un, *Bernadette*, racontait l'histoire de Bernadette Soubirous, cette jeune fille à qui la Vierge est apparue au milieu du dix-neuvième siècle dans une grotte à Lourdes dans les Pyrénées françaises. Aujourd'hui c'est un centre important de pèlerinage ou des milliers de handicapés accourent chaque année en vue d'obtenir une guérison miraculeuse.

L'autre, *Les trois enfants de Fatima*. Trois jeunes bergers, Francesco, Jacinta et Lucia déclarèrent en 1917 avoir vu la Vierge du Rosaire à six reprises à Cova da Iria près de Fatima au Portugal.[3] La Dame leur demanda de revenir prier au même endroit au-dessus d'un petit chêne le treize de chaque mois pendant cinq mois. Francesco Marto et sa cousine Jacinta Marto moururent jeunes. Ils furent béatifiés en 2000. Lucia dos Santos entra au couvent et vécu jusqu'en 2005, âgée de quatre-vingt-dix-sept ans[4].

De mon côté, l'appel fut de courte durée. J'ai changé d'idée à l'adolescence.

*Intérieur
de l'église*

L'église Saint-Joseph à Fort Resolution.

La Tire, une Tradition Indienne

La sève sucrée de l'érable est connue et prisée des Autochtones bien avant l'arrivée des colons européens. Une légende iroquoise décrit l'entaillage de l'écorce d'un érable et ils faisaient usage de l'eau sucrée pour cuire le gibier. Les premiers colons apprennent des Indiens la façon d'entailler l'érable, de recueillir la sève et de la faire bouillir pour obtenir un sirop sucré ou des tablettes de sucre conservées pour utilisation ultérieure.

Les Indiens Ojibways appellent le temps des sucres « la lune d'érable ». La tradition des sucres s'établit dans les communautés vivant à proximité des forêts à feuilles caduques. Dans le Nord-Ouest les Dénés entaillent les bouleaux pour faire de la tire.

Tous les ans au printemps, on allait en randonnée dans le taillis situé à une bonne distance du pensionnat. Nous étions emmitouflés pour le froid et la neige. Nous étions vêtues d'un bon manteau chaud, foulard, mitaines, des pantalons de ski et des bottes. Cinquante petites filles qui allaient en file indienne traçant un sentier au fur et à mesure qu'elles avançaient. Nous étions dans un état euphorique parce que nous savions que nous allions goûter à la tire une fois rendues à notre destination.

Les Frères Oblats faisaient un feu de camp et au-dessus suspendaient un énorme chaudron dans lequel ils faisaient bouillir l'eau qui provenait des bouleaux de Fort Resolution. Peu à peu sous l'effet de l'évaporation et de la condensation l'eau se transformait en sirop. Une fois que le sirop avait une consistance du miel, l'on en versait une petite quantité sur la neige qui au contact durcissait. On en prenait un morceau qu'on étirait et tordait pendant quelque temps qu'on déposait par la suite sur la neige pour recommencer le même processus afin d'obtenir une belle tire suave et dorée.

Une fois que nous étions bien rassasiées, nous nous lavions les mains dans la neige et nous les faisions sécher près du feu. Avec la chaleur printanière, la neige ramollissait et était propice à la fabrication de balle de neige. Mais les Sœurs nous défendaient de lancer des balles de neige bien qu'on pouvait lire des histoires à ce sujet dans nos manuels scolaires. Je ne me souviens pas qu'on ait fait des bonshommes de neige, par contre je me rappelle qu'on s'allongeait sur la neige et à l'aide de nos pieds et nos mains on y traçait une configuration qui rappelait celle d'un ange.

Pour se garder au chaud, l'on courait tout autour du feu de camp. Nous nous amusions ferme durant ces excursions loin du pensionnat, car les Sœurs ne se hasardaient pas à nous conspuer devant les Frères Oblats.

Frederic Jones buvant de la sève. 1910-1915.
Archives provinciales de l'Alberta OB 4084

L'Île de la Mission

En 1867, les Sœurs de la Charité ouvrirent sur l'île une mission et un bâtiment en billots équarris fut édifié pour servir d'orphelinat. De temps immémorial, l'île fut un lieu de rassemblement traditionnel des Dénés de Fort Resolution, se livrant à la pèche et ce jusqu'en 1930. L'île de la Mission est un endroit merveilleux, enjolivé d'immenses arbres, sillonné de rivières, la berge bordée de roches polies au fil des années. Les Religieuses y ont élevé une haute croix blanche. Nous y allions souvent pique-niquer.

Alice Blondin devant la cabane en bois équarri. Fort Resolution, T.N.O.
Photo par Bertha Wirch. Juillet, 2005.

Une année durant l'automne, tout juste avant la rentrée des élèves au pensionnat, nous nous sommes rendues en villégiature sur l'île où nous avons passé la nuit dans l'ancien orphelinat. Nous avons été transportées là par barge ou dans la benne de deux gros camions. Les Religieux Oblats avaient dû faire plusieurs voyages pour amener sur l'île les nombreux enfants et les quelques Sœurs Grises. J'ai souvenir que nous chantions en français dans la barge qui nous menait sur l'île. Parmi les passagères s'y trouvaient quelques pensionnaires revenues plus tôt qui faisaient entendre leurs chansons avec des sanglots dans la voix. Durant la traversée je me souviens avoir aperçu au loin le clocher de l'église et les bateaux qui allaient et venaient du quai. Il me semblait que nous avions parcouru sur l'eau une bien grande distance nous séparant de Fort Resolution.

Je me demande encore comment nous avions pu nous entasser toutes dans le petit bâtiment en bois équarri pour y passer la nuit, quoi qu'il en soit nous y sommes parvenues. Nous avions de la nourriture en abondance, cependant je n'ai pas vu les Sœurs cuisiner; sans doute qu'elles avaient apporté des mets tout préparés. La plupart du temps, les randonnées sur l'île ne duraient que quelques heures et habituellement avaient lieu le dimanche. Nous partagions un goûter en plein air et participions à des jeux. Je me souviens une fois d'avoir été projetée dans les airs sur une couverture retenue aux quatre coins par des Religieux Oblats, sous les cris de joie des enfants qui m'entouraient. C'était des acrobaties aériennes de haute voltige, flottant allègrement entre ciel et terre.

Tous les étés j'accompagnais les Sœurs remplaçantes sur l'île, puisque j'étais la seule qui restait derrière, pour des raisons inconnues, privée de mes parents. Toutefois comme consolation, les Sœurs suppléantes étaient beaucoup plus accommodantes et conciliantes que les régulières. Parfois, lors de ces randonnées, quelques petits garçons se joignaient à nous et un été Emelda et Dora avaient été de la partie. L'on pouvait également cueillir des fraises sauvages sur l'île. De belles fraises bien juteuses. Et combien différentes au goût de celles que l'on retrouve dans les super-marchés. Ces merveilleux moments passés sur l'île en pleine nature sont mes préférés parmi tous ceux que j'ai connus durant mes années vécues au pensionnat.

Au printemps quand la rivière des Esclaves coulait dans la baie, le poisson abondait et les Dénés en faisaient sécher sur des vigneaux et s'en approvisionnaient pour toute l'année. Le clan des Deninu K'ue se réunissaient annuellement en juillet pour la danse au tambour, des jeux de paume ou des jeux d'argent, mais seulement lors d'évènements spéciaux comme la commémoration des traités. Les Deninu K'ue des Premières Nations manient merveilleusement le violon, qu'ils ont emprunté aux Métis écossais et aux Blancs.

La petite rivière du Bison, le Grand lac des Esclaves furent des endroits privilégiés des Dénés. Ils parcouraient tous les lieux, se consacrant à la pêche, la chasse ou au trappage, cueillant des plantes et des baies afin d'en faire des provisions pour l'année entière. Les clans entre eux s'échangeaient des vivres, tels que le bison et le caribou des bois, le lapin, l'ondatra, des poissons et des oiseaux. Ils se servaient des piquants du hérisson pour orner les vêtements et les enjoliver lors d'évènements spéciaux. Les barges empruntaient la petite rivière du Bison pour transporter les produits de base lourds en provenance du Sud, tels que les billots qui étaient acheminés par la suite à la scierie sur la route de l'Île de la Mission. Les denrées et autres provisions d'hiver destinées au comptoir de la Baie d'Hudson étaient déchargées à leur quai. Le seul souvenir que je possède de mon passé c'est un morceau de bois flotté que j'ai trouvé à la scierie en 2005. Pendant que je rédige le récit de mes années au pensionnat, cette relique de mon passé repose sur mes genoux.

À la fin d'août et début septembre, c'était la rentrée au pensionnat pour tous les enfants qui avaient passé leur été en famille. Certains d'entre eux revenaient à contrecœur. Ils arrivaient par bateau ou par avion. Je suivais du regard le retour des filles de ma section, les anciennes qui revenaient et les nouvelles qui s'amenaient. Enfin, me disais-je, j'aurais quelqu'un avec qui jouer. Si j'étais heureuse de les revoir, on ne pouvait en dire autant de ces dernières. La ronde des opérations d'usage les attendait : l'assignation de numéros, la coupe de cheveux, la distribution des vêtements appropriés empruntés aux Blancs, et ainsi de suite.

Je me suis rendue à Fort Resolution au mois de juillet 2005. J'ai parcouru les lieux où j'avais passé mon enfance. Durant mon exploration, des souvenirs me sont remontés à la mémoire. Le bâtiment en bois équarri était en train de s'effondrer et en très piteux état, mais je me souvenais encore de certains détails. Les escaliers sont maintenant disparus, mais je me les imagine encore où ils se trouvaient. L'endroit où je dormais. Je suis allée au bord de l'eau et me suis assise sur les gros billots transportés par les flots de la rivière des Esclaves, tout comme je l'avais fait toute petite. J'ai posé mon regard sur Fort Resolution de l'autre côté de la baie, mon visage baigné de larmes. L'eau est encore claire, limpide et cristalline, réfléchissant les nuages du firmament. Les roches qui garnissent le fond de l'eau sont probablement les mêmes qui étaient là lorsque enfant je logeais au pensionnat, élevée par les Sœurs Grises.

Six Étés Passés au Pensionnat

Pendant six années de l'âge de quatre à dix ans, j'ai passé tous mes étés au pensionnat seule, alors que tous les autres élèves se rendaient chacun chez soi durant les vacances. J'étais confiée chaque été aux soins d'une nouvelle Sœur. Je les considérais comme des étrangères, cependant elles étaient gentilles. Elles me traitaient avec beaucoup d'égards malgré que je sois parfois diablotin. Il y eut d'autres enfants durant un été ou deux. Une année Dora et Emelda King, qui sont encore mes amies aujourd'hui, restèrent au pensionnat parce que leur mère était hospitalisée atteinte de la tuberculose. Emelda et Dora portaient toujours leur longue chevelure châtaine et je me demandais toujours pourquoi il en était ainsi. Plus tard elles m'ont raconté que leur mère avait spécifiquement avisé les Sœurs de ne pas leur couper les cheveux et de faire en sorte qu'elles ne perdent pas l'usage de leur langue chipewyanne. C'était heureux que leur mère ait pu s'exprimer en leur nom. Quant à moi je n'avais pas de parents pour intercéder pour moi, car je les croyais morts. L'été que j'ai passé en compagnie de mes deux amies fut inoubliable et nous avons eu beaucoup de plaisir ensemble.

Une fois j'ai été hospitalisée durant un été ne sachant pas trop quelle était la raison. Je crois qu'on pensait que j'étais atteinte d'étisie parce que j'ai été assignée sur le même étage que les femmes autochtones qui souffrait de la tuberculose. Je me trouvais dans le pavillon que Mme King, la mère de Dora et Emelda, occupait.

Elle fut transférée plus tard à l'Hôpital Charles Camsell à Edmonton, Alberta.

Sœur Cardinal, la directrice de l'hôpital, me laissait errer à ma guise à travers l'hôpital. Mme King était toujours bien coiffée. Un jour elle décida de me faire un permanent et elle enroula mes cheveux de bigoudis. Lorsqu'elle les enleva, j'étais frisée comme une moutonne. Les femmes qui m'entouraient éclatèrent de rire. En me regardant dans un miroir, que je voyais pour la première fois de ma vie, j'ai compris. C'était à vous faire dresser les cheveux sur la tête. Par la suite Mme King peigna délicatement mes cheveux bouclés.

Pendant l'été, en compagnie des Sœurs suppléantes, il y avait un relâchement de la discipline régimentaire. Des moments fort appréciés après le comportement sévère, cruel même, des Sœurs du pensionnat qui se jugeaient elles-mêmes d'une âpre et douloureuse austérité. Nous prenions congé de la prière, c'était très relaxant. Je les suivais partout, apportant mon aide parfois au poulailler et à quelques reprises faisant des tours en tracteur avec l'un des Frères qui travaillaient dans les champs ou sur la grande ferme qu'ils entretenaient. Ils faisaient également un immense jardin. En de longues rangées bien soignées, ils cultivaient toutes sortes de légumes, des carottes, du céleri, des panais qui poussaient allégrement. Il y avait certaines variétés potagères qu'ils faisaient végéter pour leurs graines, les pois par exemple, que je dévorais crus et en entier avec la gousse. Pour une raison quelconque, ils goûtaient différemment des pois cuits que je tenais en horreur.

Parfois nous faisions une balade au presbytère pour visiter les prêtres, nous nous rendions à pied le dimanche pour assister aux cérémonies religieuses ou encore nous allions au quai voir arriver les barges chargées des provendes pour l'hiver. Les Sœurs Grises qui séjournaient l'été étaient charmantes, alors que celles qui nous surveillaient tout le reste de l'année étaient déplaisantes, désagréable et laides. C'était la carotte ou le bâton : d'une part l'incitation d'autre par la menace. Encore qu'elles appartenaient au même ordre religieux, elles étaient physiquement différentes les unes les autres. Celles qui étaient de passage pour l'été avaient le teint rosé, une petite tendance à faire de l'embonpoint et nous souriaient toujours. Les Sœurs en permanence cependant étaient maigres et sèches, affichaient un visage long, coupé de plis, comme taillé à la serpe.

Nous nous rendions à la plage à l'occasion située non loin de la mission. Aux abords montaient de hautes graminées et de grandes fleurs en ombelle, les angéliques. C'était mes préférées, d'une odeur aromatique et agréable. À petite distance il y avait une petite anse peu profonde couverte de sable blond et fin que je faisais couler entre mes doigts. Pendant tout ce temps, les Sœurs lisaient sereinement des livres en français. Je ne me souviens pas qu'elles se soient adonnées à des jeux ou à une quelconque activité physique. Elles s'adressaient rarement la parole entre elles, pas très prolixes. Alors qu'elles étaient perdues dans leur lecture, je regardais les oiseaux qui s'ébrouaient dans l'eau tout en gazouillant. C'était si calme que l'on pouvait entendre le clapotis des vagues qui venaient se briser contre la rive. Aucun souci ne troublait l'équanimité de mon petit être. Je m'étendais dans le bassin d'eau à l'étiage et je regardais les nuages qui couraient dans le firmament, me perdant dans des rêveries confuses. La plage de nos jours est à mon grand regret envahie de mauvaises herbes. Sur l'île de la mission, un pauvre bâtiment délabré, effondré, tombant en ruine au milieu du silence et de l'oubli.

Les Sœurs m'avaient habillée d'un maillot de bain qu'elles avaient confectionné avec une étoffe grossière qu'elles avaient dénichée à la mission. Il ressemblait à ces longs survêtements noirs en grosse laine épaisse que l'on portait autrefois. Il était beaucoup trop grand pour ma petite taille, je flottais dans ce costume. Quand il était mouillé, il me pendouillait sur tout le corps. Les cheveux dégoulinant, le front à demi mangé par une frange noire, je devais être une scène burlesque à voir.

Un après-midi après m'être exposée trop longtemps à ma méconnaissance au soleil, j'ai eu une vilaine insolation, la peau violemment brûlée. À force de me labourer la peau de mes ongles, mon bras gauche s'est irrité et il s'est formé des escarres. Je me souviens qu'une Sœur m'avait appliqué un onguent qui m'apporta un certain soulagement.

Six années durant j'ai été la seule qu'on abandonnait derrière alors que toutes les pensionnaires à la fin de juin partaient pour les vacances d'été. Année après année j'ai été confinée au pensionnat, écartée de mes parents, coupée des miens, totalement institutionnalisée. Je suis la seule à pouvoir témoigner de ce traitement inhumain qui me fut infligé.

La Visite de Nos Parents

Nos parents nous sont arrivés par un jour inattendu afin de nous rendre visite, venant d'aussi loin que Cameron Bay sur la rive nord-est du Grand lac des Esclaves. À l'époque c'était un long et périlleux voyage en traîneau tiré par des chiens. Ils suivirent les pistes habituelles de village en village jusqu'à ce qu'ils parviennent à Fort Resolution. Ils ont mis deux bons mois pour voyager de Déliné en passant par le lac Hottah, puis Wha-Ti, Behchorö, Enodah vers Yellowknife, et enfin Deninu K'ue (Fort Resolution). En cours de route il fallait, naturellement, qu'ils nourrissent les chiens, pêchent, chassent, ouvrent des pistes à l'aide de leurs raquettes et qu'ils apportent toutes les choses indispensables pour survivre durant les grands froids de l'hiver. Heureusement, mes parents se débrouillaient fort bien en pleine nature.

En cours de route, ils logèrent dans des familles qui leur offraient le couvert. Ils visitèrent des amis et se lièrent d'amitié avec d'autres Dénés rencontrés au hasard de leur périple. À Fort Resolution même ils avaient été logés par la famille Unka à leur arrivée, l'attelage de chiens de traîneau et tout. Tout le monde s'entendait bien en ce temps-là. Ils jouaient à des jeux de paume au grand plaisir de mon père et auxquels il excellait. Mon frère George participe également à des jeux de paume quand les occasions se présentent. À cette époque c'était la coutume de partager les mets et de célébrer dans la joie en chantant, dansant et à concourant à des jeux.

Les réjouissances étaient bruyantes, au milieu d'acclamation et applaudissement, de mouvements sophistiqués des mains et du corps. On s'amusait ferme. Les femmes apportaient toujours leur encouragement et soutien aux participants. Plusieurs années plus tard, ma mère me décrivit leur odyssée au beau milieu de l'hiver. À ce moment-là, ma mère s'était beaucoup améliorée dans l'apprentissage de la langue anglaise, et d'autre part je pouvais comprendre quelques mots dénés. Ils avaient amené avec eux Paul, un bambin, qu'ils avaient adopté dans des conditions tragiques. La mère avait laissé seuls les jumeaux et pendant qu'elle était partie en cavale l'un d'eux est mort gelé et mes parents accueillirent le survivant, Paul. (Selon les us et coutumes chez les Dénés, les enfants sont souvent cédés à des familles et les parents biologiques restent en contact avec eux la vie durant).

Je me souviens de l'arrivée de mes parents en 1956. Je jouais dans la cour lorsqu'on m'a appelée pour me dire qu'il y avait des gens qui désiraient me voir. J'ai aperçu un homme et une femme, des Autochtones, d'un certain âge qui me tendaient la main pour me prendre. Ils m'avaient serrée dans leur bras, m'embrassant, m'étouffant. Puisque je ne les avais pas vus depuis des années je ne les ai pas reconnus. Ils m'étaient inconnus. Imaginez un peu le grand désarroi qu'ils ont pu ressentir. J'étais incapable de communiquer avec eux en raison de la barrière linguistique qui nous en empêchait. J'avais déjà été conditionnée pour ne pas parler la langue dénée, laisser voir mes émotions.

Je les ai accompagnés chez des amis à Fort Resolution et je me suis amusée avec ma petite sœur Be'sha et les enfants de la famille. Ils m'ont fait cadeau d'une jolie robe brodée de dessins d'animaux que j'ai portée immédiatement. Be'sha fit son entrée au Pensionnat St-Joseph cette année-là. Mes parents l'avaient dissimulée dans les taillis jusqu'alors parce qu'ils ne voulaient pas qu'elle aille au pensionnat à l'âge de quatre ans comme cela avait mon

Edward et Eliza Blondin. Photo par Henry Bussy.

sort. Je suis retournée au pensionnat avec ma nouvelle tenue, mais dès l'instant où j'y ai mis les pieds je fus contrainte de l'enlever. J'ignore également ce qui est advenu de tous les jouets et des vêtements, mukluks, mocassins et gants à crispin que nos parents avaient élaborés spécialement pour nous. Les Sœurs nous les ont ravis sans aucune explication pour ne plus jamais les revoir.

Je me souviens des friandises et des tablettes de chocolat dont nos parents nous avaient fait don. Dès notre retour, les Sœurs nous les ont confisquées. Elles me permettaient une tablette de chocolat tous les samedis jusqu'à ce que les provisions s'épuisent. Mes compagnes salivaient en me voyant, alors je la partageais avec elles. Ma sœur aînée, Muriel, m'a raconté que nos parents nous faisaient parvenir quatre fois par années des colis dont on ne voyait jamais la moindre ombre. Lorsque j'ai quitté définitivement les pensionnats neuf ans plus tard, je n'avais que les vêtements que je portais sur le dos et une bien mince valise.

Peu de temps après le départ de mes parents, ma sœur Muriel et mon frère Joe ont quitté le pensionnat sans avoir eu la permission de me saluer. Ils avaient simplement disparu. Personne ne s'était soucié de m'en prévenir. Je m'inquiétais pour eux. L'immense fleuve de l'oubli m'entraînait dans un gouffre sans nom.

Je ne me souviens pas du retour de Muriel au pensionnat. Ce n'est que beaucoup plus tard que j'ai su qu'elle avait souffert d'une méningite cérébro-spinale. Elle ne pouvait pas manger, vomissait du sang et entra dans un coma profond. Elle fut placée dans une petite chambre; ses jours étaient comptés. Elle séjourna plusieurs mois dans un hôpital d'Edmonton et revint au pensionnat à l'automne, frêle et fragile, avec perte de sensibilité et de motilité. Elle ne nous accompagnait plus pour la récréation dans la cour de l'école.

Scolarité

Quand je suis devenue assez grande, j'ai pu aller à l'école avec toutes les autres pensionnaires et je m'y plaisais parce que les Sœurs enseignantes étaient plus conciliantes. L'école signifiait que nous allions apprendre à lire, écrire et compter. Tous les manuels scolaires s'appliquaient aux Blancs seulement, ce qui avait l'heur de me contrarier. Tous les personnages dans les livres avaient la peau blanche à l'instar des Sœurs Grises—alors que moi j'avais la peau brune—, vivaient dans de jolies maisons entourées d'une clôture blanche et un petit chien de compagnie. La vie dans le Grand Nord était bien différente : une petite cabane au milieu de l'immensité sans frontière et sans animaux domestiques. Nos chiens avaient une fonction utilitaire et non de simples joujoux, des peaux de caribous tendus sur des cerceaux meublaient la pièce unique ainsi que des raquettes et tout l'équipement nécessaire à la survie dans le Nord.

À cette époque, le but et les objectifs du processus de colonisation du gouvernement canadien, endossés par les missionnaires catholiques et anglicans, étaient de nous « civiliser »,. Mon frère aîné, George, fut pensionnaire dans les écoles institutionnelles de 1928 à 1933 à Fort Providence, T.N-O. Ils n'avaient même pas de manuels à leur disposition. Il a écrit beaucoup plus tard dans sa chronique publiée dans le journal *News/North* que le gouvernement négligeait d'une manière éhontée le Nord, confiant l'éducation à de missionnaires pauvrement outillés. Enfin, en 1952, le Gouvernement jugea bon de pourvoir les écoles de Fort Resolution de certains outils pédagogiques.

Au Pensionnat St-Joseph, l'instruction si minime fût-elle, de la première année à la cinquième était confiné entre les murs mêmes de l'établissement. Le personnel enseignant était composé de Sœurs Grises et de laïques aseptisées. Je me souviens principalement de Mlle Oberst, Sœur Anne Lafleur, Sœur Agnes Sutherland, Mlle Contract et Mlle Pilgrim. L'institution était dirigée par Soeur Moche et Soeur Boulalin, je crois, pendant mon stage sur les bancs de l'école.

Tous les matins avant le début des classes l'on chantait *God Save the Queen* puis suivait la prière et on terminait la journée en priant également. Dans les écoles de désignation catholique, le catéchisme et la religion en général primaient, c'est donc dire qu'une grande partie du curriculum était consacrée au culte et à la liturgie lorsque nous n'assistions pas aux Saints-Offices lors des jours de fêtes religieuses qui se comptaient par dizaines.

J'ai mis beaucoup de temps pour apprendre à lire, mais lorsque j'y suis parvenue j'ai plongé dans la lecture. Les livres représentaient pour moi une fenêtre sur le monde extérieur et une révélation. Plus je vieillissais plus j'avais accès à des vérités que les Sœurs nous avaient tenues cachées.

À force de griffonner du papier, à regarder mes compagnes je suis parvenue à orthographier correctement. Je me suis même attelée à la tâche d'écrire à mes parents d'une écriture ronde, symétrique et très nette en faisant appel à de grands mots, comme « soudainement » que j'avais appris à l'école. Cependant, mes parents m'ont déclaré qu'ils n'avaient jamais reçu de lettres de moi. Je sais que toutes nos lettres étaient scrutées à la loupe. Elles devaient contenir de justes plaintes et des revendications trop bien fondées : voilà pourquoi nos lettres se retrouvaient à la corbeille. Toutefois aujourd'hui je m'autorise à dénoncer les injustices que nous avons connues et à revendiquer une justice totale. Les Sœurs prenaient une décision et s'en remettaient à leur jugement personnel. La vie au pensionnat était un climat débilitant. Nous vivions dans un établissement clos, beaucoup plus approprié à recevoir des délinquantes que des pensionnaires normales.

J'ai acquis des connaissances en arithmétique à l'aide d'un abaque et à écrire finalement des nombres qui avaient du sens. (Mais cela n'explique toujours pas le système incongru et aberrant du système de numérotation auquel les Sœurs avaient recours pour nous désigner au lieu de nos noms personnels). Les livres dont on faisait usage en sciences sociales n'avaient aucun lien avec notre mode de vie traditionnel. Dans les manuels scolaires, nous étions les « sauvages » qui s'attaquaient cruellement aux colons blancs. On nous faisait entrer de force les noms soi-disant de grands découvreurs. Giovanni Caboto, Jacques Cartier, Samuel de Champlain, Cristóbal Colón—ces explorateurs blancs, dis-je, qui nous ont introduit aux effets dévastateurs de l'eau-de-vie en échange de nos fourrures, qui se sont appropriés de nos terres comme des brigands.

On ne fait jamais mention des peuples autochtones qui vivaient ici avant la venue des « découvreurs » européens. Plusieurs grands noms des peuples des Premières Nations auraient pu être pour nous sujets d'inspiration. Qu'il me suffise d'en nommer quelques-uns : les Chefs Akaitcho, Monfwi, Edzo et Matonnabee des Territoires du Nord-Ouest, et au sud Jay Silverheel, un grand acteur du cinéma (Tonto), des athlètes de la boxe et de la crosse, Chef Dan George, écrivain, Tom Longboat, coureur de fond au championnat mondial, Pauline Johnson, première poétesse autochtone, Joseph Brant, lequel favorisa les bonnes relations entre les Britanniques et la Confédération iroquoise et Louis Riel—il dirigea la résistance des Métis de la région de la rivière Rouge. Vaincu par l'armée canadienne venue en renfort, il fut pendu. On ne fait que commencer à signaler ces grands personnages dans les livres, sans plus.

J'ai fait la connaissance de l'histoire du Canada à travers la vision des Blancs. (Les Autochtones surnommaient ces derniers « les poitrines poilues »). Leurs enseignements ont semé la honte en nous-mêmes, Autochtones. En aucun temps le patrimoine traditionnel n'a fait partie des matières pédagogiques qui nous étaient enseignées. Il n'y avait jamais aucune référence au sujet des attelages de chiens, la fabrication de raquettes pour se déplacer dans la neige profonde, la danse du tambour au soleil de minuit. Enfant, j'imitais servilement ce que je voyais, ce que j'entendais. Nous étions régis de plus par un enseignement collectif, ce qui signifiait que les élèves chez qui prédominait l'activité intellectuelle s'ennuyaient, quant aux manuels ils étaient laissés pour compte.

Les Sœurs enseignantes étaient sévères en classe; elles n'admettaient aucune faute. Les élèves les plus turbulents étaient les garçons du village qui venaient en externes et qui n'avaient pas toujours de bonnes manières. Ils mâchaient de la gomme en classe—ce qui nous était strictement interdit en tout temps. Comme punition, ils étaient envoyés dans le coin avec la gomme plantée sur le nez ou encore le visage appuyé contre le tableau, la gomme collée au beau milieu et entourée d'un cercle tracé à la craie. Quant aux autres corrections corporelles auxquelles ils étaient parfois soumis, cela avait un effet malsain, car elles entraînaient chez ces derniers des réactions qui auraient des conséquences sur la génération suivante.

Bien que la Guerre Froide sévissait et que des hostilités faisaient rage en Corée, en vertu des tensions entre nations belligérantes, nous étions tenus dans l'ignorance ne sachant que trop ce que cela impliquait. Quoi qu'il en soit, nous faisions des exercices d'évacuation (en cas d'incendie) ou de sauvetage advenant une attaque nucléaire. Au signal donné on se catapultait sous nos pupitres, se croyant en sécurité. Les Sœurs nous racontaient que si par malheur nous étions bombardées et que nous mourions en état de grâce nous irions directement au ciel; pour ce qui était des autres, elles brûleraient éternellement dans le feu de l'enfer. Les Sœurs ne cessaient d'inventer toutes sortes de diableries pour nous apeurer. Les périodes scolaires me permettaient d'échapper à la surveillance des Sœurs. J'avais besoin de ce répit. Cependant, ce que j'ai appris à l'école n'avait aucun lien avec notre patrimoine déné et cela me contrariait parfois. J'avais de la difficulté à saisir la manière de vivre des Blancs, et à mon sens l'hymne national que nous entonnions au début des cours, *God Save the Queen*, n'avait aucune signification. Il n'y avait aucun livre sur les équipages de chiens de traîneaux ou encore concernant la fabrication de raquettes pour fouler la neige abondante. On ne faisait nullement mention de la danse du tambour sous le soleil de minuit, ce qui nous aurait permis de nous reconnaître.

Au début de l'année scolaire, on allouait à chacune une écritoire : un petit ensemble contenant tout ce qu'il fallait pour écrire—un encrier, un porte-plume muni d'une pointe acérée et un buvard. Malgré tout le soin qu'on apportait pour former d'une façon appliquée les lettres de l'alphabet, certaines Sœurs qui devaient tremper leur plume dans le venin avaient toujours des remontrances à faire.

Pour faire des polycopies, on se servait à l'époque d'un hectographe. Pour procéder, l'on plaçait l'original composé à partir d'un colorant à base d'aniline sur une plaque de gélatine traitée à la glycérine, puis on prenait des transcriptions de la gélatine. Nous pouvions faire approximativement cinquante copies jusqu'à ce que l'encre cesse d'être visible. Par la suite, nous lavions la plaque de gélatine avec une solution savonneuse avant de poursuivre avec une nouvelle impression.

Nonobstant les failles dans lesquelles baignait notre éducation, j'éprouvais une certaine satisfaction. Le temps passé en classe me permettait d'échapper aux griffes des Sœurs dominatrices qui s'occupaient de la surveillance au pensionnat. Il m'arrivait de rester après la classe pour m'adonner à des activités parascolaires, telles que dessiner avec mon ami James, un artiste dans l'âme, une scène de la nativité durant la période de l'Avent. L'école eut une influence formatrice chez moi.

Emménagement à Breynat Hall

L'ancien Pensionnat St-Joseph fut définitivement fermé au mois de décembre 1957. Le gouvernement fédéral s'impliqua formellement et fit construire un nouvel internat, le Breynat Hall, à Fort Smith, dans les T.N-O. Nous avons tous été relogés à cet endroit, transportés par la voie des airs dans des avions Hercules. Une Sœur, dont j'ai oublié le nom, nous ordonna de nous réunir dans la grande salle et indiqua qu'elle avait une annonce à faire. Après nous avoir avisées de notre départ pour Fort Smith, elle déclara que la plus vilaine d'entre nous partirait la première. Nous nous sommes toutes regardées les unes les autres, nous demandant qui pouvait être l'élève en question. La Sœur annonça haut et fort : « Alice Blondin! »

Alors, donc j'étais la brebis galeuse, l'indésirable, c'était moi, parmi toutes les petites filles de la section au Pensionnat St-Joseph. Cette imputation m'avait porté un coup terrible. J'étais anéantie. J'avais l'impression que je serais interpellée et que j'aurais une bien mauvaise réception une fois parvenue à Fort Smith. Ils m'ont embarquée dans l'avion avec d'autres enfants du pensionnat que je ne connaissais pas; j'étais la seule petite fille. J'ai été ceinturée à un siège dans le bruyant avion pour le long voyage vers Fort Smith. Le trajet m'avait paru interminable parce j'avais eu très froid.

Nous sommes parvenus enfin à destination et un homme tout de vert vêtu m'a délivrée de mon siège. J'avais neuf ans sur le point d'atteindre mon dixième anniversaire et débutant une nouvelle vie dans un établissement complètement neuf. Le Père Mokwa, qui était le supérieur à Fort Resolution, est venu à ma rencontre avec quelques Sœurs Grises dans le parloir de l'internat. Je m'attendais toujours à être réprimandée, mais à ma grande surprise j'ai été si bien accueillie que j'ai vite oublié tous mes malheurs. La première chose que j'ai aperçue fut un immense arbre de Noël merveilleusement orné de nombreuses boules multicolores et brillant de mille feux. Le jour, l'arbre de Noël m'émerveillait, le soir, il me fascinait. Il occupait la place d'honneur dans le parloir près du bureau du Père Mokwa. Il m'y amena dans son bureau dont un pan de mur était tapissé de livres de haut en bas. Je me suis assise par terre et avec sa permission j'ai pris un livre sur l'étagère à ma portée. Je l'ai ouvert à une page montrant des maisons et des ponts en pierre dans un endroit étrange. J'ignorais qu'on puisse construire des ponts et des maisons en pierre.

Quelque temps plus tard le P. Mokwa me prit chaleureusement par la main pour me faire visiter la nouvelle résidence. Tout sentait le neuf et la propreté, comparé aux murs vieillots et décrépits du Pensionnat St-Joseph qui sentait le renfermé. Tout en faisant le tour de l'internat, nous sommes parvenus au dortoir où se trouvait une Sœur Grise. De beaux grands lits meublaient la pièce, en contraste aux petites couchettes en fer de Fort Resolution. Le lit était garni d'un matelas spongieux, d'un oreiller doux au toucher et de beaux draps neufs humant la lavande et pavoisé d'un couvre-lit attrayant. À chacune était assigné un casier pour y déposer des effets personnels.

Je n'ai jamais dit au Père Mokwa que j'étais la plus perverse petite fille de Fort Resolution. Je crois qu'il avait convenu que je fusse la première à me rendre à la nouvelle résidence. Je n'en ai jamais connu la raison, mais je crois qu'ils avaient eu pitié de moi parce que j'étais une pauvre orpheline. J'étais maintenant

choyée par les Pères et les Sœurs vu que, de 1952 à 1958, j'étais restée tous les étés au Pensionnat St-Joseph sans aller à la maison ou
encore voir mes parents.

Je n'ai jamais été punie, mais je suis toujours restée marquée d'avoir été considérée comme une tare humaine, condamnée
définitivement et ignominieusement. Des rumeurs ont circulé à
cet effet et sont même arrivées aux oreilles de ma sœur Muriel et
elle fut très vexée. Je n'ai jamais raconté à quiconque de la manière
dont j'avais été cajolée par le Père Mokwa et les Sœurs à mon arrivée à Fort Smith. D'ailleurs, j'ai toujours soupçonné que la Sœur,
qui était la responsable, avait eu recours à un douteux subterfuge
pour que je sois envoyée la première à Breynat Hall afin de ménager les sentiments des autres pensionnaires.

Les autres pensionnaires arrivèrent durant le congé de
Noël. Évidemment, elles m'ont demandé si j'avais été grondée et
je leur ai raconté ce qui s'était passé. Je me suis apprivoisée sans
trop de peine à la nouvelle vie à Breynat Hall, sous l'administration
et la gestion de l'État, et loin des goguenardises qui étaient notre
lot au Pensionnat St-Joseph. Bien que les règlements étaient sen-
siblement les mêmes, l'ambiance était plus souple, beaucoup moins
tendue. Ce ne fut que plusieurs années plus tard, en 2005, que j'ai
su que quelques garçons s'étaient enfuis du pensionnat pendant le
déménagement parce qu'ils ne voulaient pas aller à Fort Smith. Ils
s'étaient cachés dans un fourré au cœur de l'hiver. Ils furent retrou-
vés sains et saufs et renvoyés manu militari à Breynat Hall.

Les cours ont repris au mois de janvier et ils étaient donnés à l'École Joseph Burr Tyrrell. J'appréciais beaucoup cette
nouvelle approche de servir les repas qu'était la cafétéria. Les repas
avaient été grandement améliorés et nous pouvions choisir les mets
que nous voulions. Finis les fruits gâtés par l'humidité, le poisson
putréfié parce que laissé à l'air trop longtemps avant d'être fumé.
Nous mangions tous ensemble, bien que chacun se retrouvait dans

sa propre section, garçons et filles, les grands et les petits. Les cuisines à Breynat Hall étaient ultra-modernes, équipées d'immenses congélateurs et d'autres appareils et accessoires étincelants. Nous pouvions dire enfin adieu à la corvée de la vaisselle parce que l'établissement était pourvu d'un lave-vaisselle automatique et de séchoir. La buanderie avait été également réaménagée.

Depuis six ans que je vivais dans un pensionnat gouvernemental sans jamais revenir chez moi. Je n'avais aucune idée où demeuraient mes parents, pas la moindre idée. Je n'avais entretenu aucun lien avec eux, même par la poste. Les lignes téléphoniques n'existaient pas. J'avais le sentiment que je ne verrais jamais plus mes parents, et il ne fut fait aucune mention d'eux durant toutes les années passées au pensionnat. Je les croyais morts jusqu'à ce qu'ils nous rendent visite à Fort Resolution. Tout m'était tenu secret.

Pendant toutes ces années au pensionnat, le pire moment fut le jour de la rentrée. De cette journée, il m'est resté une saveur aigre, un goût inconnu qui s'en irait jamais. Dès le début je ne comprenais pas les Sœurs chargées de la discipline et qui en retour exerçaient leur vengeance sur moi et les autres élèves. Cette façon de faire me rendit timide, émotive, anxieuse et pendant des années j'ai eu une mauvaise opinion de moi-même. J'étais marquée de tous les stigmates de la bêtise. Les Sœurs n'avaient aucune explication à nous donner, il fallait faire ce qu'elles disaient. Elles s'érigeaient toujours en juges, portaient des verdicts catégoriques sur moi et ce, à l'âge le plus important de mon développement. J'ai été spoliée de mes années d'enfance. Maintenant je comprends mieux ceux qui ont souffert sans se faire entendre, qui ont vécu dans un milieu inhumain et marmoréen, se retrouvant de nos jours dénués de toute aide psychologique quant à leur traumatisme non résolu parce que les programmes sociaux adéquats sont inexistants.

Je n'ai pas pu, durant de nombreuses années, surmonter ma colère d'avoir été séquestrée dans les pensionnats, dénuée de toute affection. C'était des institutions où régnaient des comportements malsains de la part des Sœurs Grises sous l'égide desquelles nous nous trouvions. Nous ne pouvions pas discuter ou argumenter, ce qui aurait signifié qu'on remettait en question leur autorité. Aujourd'hui, je critique la voie suivie par nos Gouvernements qui nous ont confiés à la garde de Communautés Religieuses aux comportements controversés. Une fois revenus dans nos familles nous répétons les mêmes agissements que reproduisent les générations futures. Nous sommes pris dans un cercle vicieux. Voilà ce que nous avons hérité des pensionnats canadiens.

Mon Premier Séjour en Famille

Même si ce livre porte sur les pensionnats où j'ai vécu c'est primordial que je vous décrive ma famille où j'ai connu des jours heureux. Il faut que vous compreniez, vous lecteurs, la différence entre la façon dont j'ai été traitée dans les pensionnats et mon vécu au sein de ma famille.

Je suis restée à Breynat Hall jusqu'au mois de juin 1958 avant d'aller dans ma famille. Mes sœurs Muriel et Be'sha sont parties sur un premier vol et j'ai suivi. C'était la première fois que je revoyais mes parents depuis leur longue randonnée en luge tirée par des chiens jusqu'à Fort Resolution deux années plus tôt. Ma mère et mon père, Joe, Muriel, Be'sha et Paul étaient venus m'accueillir à la descente de l'hydravion. C'était mon premier séjour en famille après avoir été séquestrée pendant six ans dans des pensionnats.

Je ne savais pas trop ce à quoi m'attendre lorsque nous avons survolé le site de la mine. Il était petitement constitué de quelques bâtiments-dortoirs, une intendance, des maisons éparses et le chevalement qui ressortait du puits de la mine.

Nous avons amerri et l'hydravion s'est dirigé vers le quai. Je pouvais apercevoir deux adultes qui ressemblaient vaguement à mes parents, que je n'avais pas eu le bonheur de voir souvent. Ils sont venus à ma rencontre. Il y eut un moment d'effusion et ils m'ont serrée amoureusement dans leur bras. Je n'étais pas habituée à tout ce flot d'affection, mais enfin j'étais heureuse d'être parmi

eux. J'allais goûter pour la première fois depuis longtemps l'inexprimable bonheur de vivre au sein d'une vraie famille.

Ils ont déchargé l'appareil pendant que parlais à mon frère
et à mes sœurs. Tout ce que je rapportais avec moi c'était une
maigre valise brune cartonnée et les vêtements que je portais. Toute
la vêture et les parures que mes parents m'avaient élaborées étaient
disparues. Que c'est triste de revenir ainsi après six années passées
dans les pensionnats. Heureusement que ma mère s'était préparée
en conséquence et m'avait remis une paire de pantalon que j'ai
enfilé aussitôt et que j'ai porté tout l'été, et aux pieds des espa-
drilles. Désormais je ne mettrais plus de robe ou de bas.

Dès que j'ai foulé le seuil de la porte j'ai goûté à un met
traditionnel qui m'avait manqué, le bannoc (un genre de gâteau à
la farine d'avoine ou d'orge grillée sur le feu), accompagné de beurre
en conserve et de confiture. Il y avait également du pémican. Mais
le meilleur était à venir, du poisson brasillé au-dessus du feu, que j'ai
savouré avec délice. Je me suis délectée à écouter Joe et Muriel, pendant que Be'sha et Paul avaient le regard fixé sur moi. C'était la
première fois depuis un bon nombre d'années que la famille était
presque toute réunie. Le seul absent mon frère George qui demeurait à Yellowknife avec sa famille et à l'emploi de Grant Mine.

J'ai su que mon père travaillait à la mine Rayrock en compagnie de plusieurs autres mineurs en raison de trois postes de huit
heures par jour. Rayrock était une mine d'uranium souterraine qui
fut en activité pendant deux ans, de 1957 à 1958. La mine se trouvait à soixante-quatorze km de Behchok'o et à cent quarante-cinq
km de Yellowknife. Je regardais mon père se rendre au travail à
pied tous les jours. Il venait dîner à la maison; je ne l'ai jamais vu
manquer une seule journée de travail, si ce n'était qu'il s'absentait
de temps à autre pour prendre une journée de congé.

Mon frère Joe avait une pleine boîte de bandes dessinées
dont je prenais connaissance pour la première fois. Il possédait une

belle collection et il en était fier. Il soulignait les dessins faits avec un certain art. Je lisais les bandes dessinées à ma petite sœur Be'sha assise par terre sur une couverture près de moi. Peu à peu je lui ai montré à lire et à écrire les mots les plus simples. J'avais crayonné sur des cartons toutes les lettres de l'alphabet ainsi que les chiffres. Mon frère Joe me fit découvrir aussi un nid de bourdons. Un mur de boue séché de quelque quarante pieds de long sur deux pieds, composé de plusieurs étages et pourvu de galeries, de loges. Je regardais avec émerveillement tout ce fourmillement de bourdons qui s'agitaient en grand nombre et en tout sens. J'étais intriguée par ce qui pouvait bien se passer à l'intérieur.

Un jour, piquée par la curiosité, j'ai pris un bâton et je l'ai introduit dans un des trous et aussitôt j'ai été aiguillonnée. J'ai couru à la maison en appelant ma mère et aussitôt elle est sortie pour examiner ma piqûre. Elle s'est dirigée vers un bouleau et pris quelques feuilles qu'elle mâchouilla pour en faire une pommade qu'elle appliqua sur ma blessure. La douleur est disparue aussitôt. Ce fut comme un miracle. Je n'avais pas pleuré parce qu'au pensionnat on nous avait enseigné de ne pas laisser voir nos sentiments. Ma mère avait eu recours à la médecine traditionnelle pratiquée par les Dénés depuis les temps immémoriaux. Je n'ai jamais oublié cela—de faire usage des produits de la nature était l'une des choses qui nous distinguaient de la vie au pensionnat.

Dans beaucoup de tribus, les fonctions principales du shaman ou homme-médicine consistaient à guérir les malades. L'homme-médicine guérisseur portait un sac de talismans et de remèdes mystérieux pour repousser les esprits néfastes et libérer le corps du patient de toute mauvaise médecine. Sa trousse médicale contenait entre autres des herbes curatives. Ces plantes avaient de réelles propriétés médicinales. Les Dakotas soulageaient l'asthme avec les racines pulvérisées de népenthès et les Kiowas guérissaient les pellicules grâce aux saponaires. En cas de nausées, les Cheyennes buvaient une mixture de menthe sauvage bouillie, et contre le mal de gorge, les Cris suçaient les cônes de l'aubépine. De la pharmacopée indienne 170 drogues ont été retenues pour leur valeur médicinale—par exemple, la morelle noire contre la tuberculose, l'arisaema contre les migraines, l'achillée pour les coupures et les bleus, l'ail sauvage contre le scorbut.

Nous vivions dans une petite maison à charpente de bois. Une première toile était tendue sur les supports rigides composés des murs et du plafond, et une deuxième tente au-dessus pour nous protéger de la pluie et de la neige. Les murs de l'habitacle composés de panneaux d'aggloméré et peints en vert étaient percés de trois fenêtres et munis d'un plancher. Une table trônait au milieu de la pièce recouverte d'une toile cirée que ma mère gardait toujours propre. Des langues de vipère racontent que les Indiens sentent très mauvais, qu'ils exhalent une odeur infecte; quoi qu'il en soit, ce n'était pas le cas chez nous. Nous nous baignions dans une grande cuve et lavions nos cheveux dans une bassine. Tous les matins en nous levant nous faisions notre toilette. Papa faisait beaucoup de bruit quand il s'abstergeait pour nous faire rire. Il faisait le drôle parfois. On se brossait les dents à l'extérieur avec une petite tasse d'eau. C'était le genre de vie que j'aimais, si calme et paisible. Le pensionnat était un lieu qui suait la bêtise, puait la bondieuserie.

L'été nous dormions dans la tente ajourée et l'hiver dans l'habitacle proprement dit que l'on chauffait au bois. Il y avait une toilette extérieure sur une colline à cent pieds environ de l'essaim de bourdons. L'habitacle était bâti pour supporter les plus gros froids de l'hiver et nous considérions que nous avions tout ce qui contribuait au bien-être même si nous n'avions pas toutes les commodités de la vie matérielle d'aujourd'hui.

Papa commandait des denrées de Yellowknife ainsi que des fruits, des pommes, des oranges qui nous parvenaient par hydravion.

Nous mangions bien et mes parents ne s'emportaient pas si je me servais plus d'une fois. Le matin maman nous confortait quelquefois d'un gros déjeuner d'œufs au lard. Parfois si nous manquions d'objets ou des accessoires pour l'usage domestique nous allions faire une tournée au dépotoir. Une fois j'y ai déniché des fourchettes et des cuillers, des assiettes et même à une occasion un chaudron. Nous rapportions aussi de la nourriture qui avait été jetée, des côtelettes de porc par exemple. Après les avoir nettoyées, nous les cuisinions. Nous ne nous plaignions pas, car il fallait survivre dans un endroit comme le nôtre dépourvu de magasin général. Papa travaillant à la mine il ne pouvait pas conséquemment aller à la chasse au gibier ou rabattre les lagopèdes, et les petits animaux se faisaient rare autour de la mine.

Maman préparait aussi des peaux, ce qui nécessitait un long procédé. Il fallait tendre les peaux humides le plus possible jusqu'à en avoir mal aux mains, et si les peaux nous échappaient nous partions à rire. Nous grattions également les peaux afin d'enlever les poils avec un os taillé en forme racloir. Nous nous rendions utiles en lavant le linge avec une planche à laver et nous l'étendions dehors sur une corde à linge. La vie était belle et c'était tout simplement délicieux d'être en famille. Nous nous donnions à tous ces petits travaux à cœur joie sans nous faire dire à tout bout de champ de se taire comme au pensionnat. Nous avions de bonnes raisons de râler contre l'attitude des Sœurs. Les journées de grand ménage au pensionnat, il fallait laver à fond les murs à l'eau de Javel à main nue ou passer un après-midi entier à frotter les planchers à genoux. Quelle corvée!

À l'intendance de la mine Rayrock, il y avait une confiserie où l'on vendait des friandises, du chocolat, des sucreries. Parfois papa nous donnait une pièce de cinq ou dix sous pour qu'on puisse se procurer ces petites douceurs. Nous avions compris la valeur de l'argent qu'on ignorait totalement auparavant. À l'étage supérieur de l'intendance, il y avait une grande pièce qui servait de salle de cinéma où l'on pouvait visionner des films pour une modique somme. Un jour je me souviens qu'il y avait un film à l'affiche réservé aux adultes seulement. Le film en question, tourné en 1957, s'intitulait *The Three Faces of Eve* et Joanne Woodward tenait le rôle principal. Évidemment, je me suis glissée en haut de l'escalier et à travers les fentes dans la porte je regardais le film. Comme de fait j'ai été prise en flagrant délit. Mais le gardien avait trouvé le méfait plus amusant qu'autrement et nous avions bien ri ensemble.

Le quai sur le petit lac où accostaient les hydravions était également utilisé par les enfants des lieux comme plongeoir. Nous étions souvent entre dix et vingt, garçons et filles, à s'y amuser dont Wayne et Barb Salo qui logeaient à la mine. Mon frère Joe nageait comme un poisson et voulait m'apprendre à en faire autant, mais j'avais une frayeur irraisonnée de l'eau. Un jour il m'a poussée dans l'eau. Elle était froide et quand j'ai ouvert les yeux j'ai vu des bulles tout autour et tout au fond des herbes. Je suis finalement remontée à la surface. Tout ce temps mon frère Joe me criait de bouger mes bras et mes jambes très vite. Je me suis mise à ma grande surprise à flotter sur l'eau et à avancer, mais j'avais eu très peur de me noyer. (Ne vous avisez pas de faire à quelqu'un la même chose que Joe m'a faite. C'est très imprudent).

Bien avant cet évènement, ma sœur Be'sha et moi avions tenté de nager à la manière des chiens dans la nappe d'eau boueuse près de la maison, mais sans grand succès. Désormais je plongeais du quai en eau profonde. Au milieu de l'été, la température variant entre 16 et 26 degrés C., donc il faisait bon de se baigner. À cette époque on se baignait en sous-vêtements, car nous n'avions pas de maillot de bain. Le jour où j'avais appris à nager bien malgré moi, j'étais revenue à la maison mouillée jusqu'aux os, mes vêtements dégoulinant de toutes parts, mais heureuse. Ma mère en me voyant s'était éclatée de rire. Elle avait simplement étendu mon linge et ne parut pas contrariée par le geste posé par mon frère Joe.

Nous allions tous les jours à la pêche pour prendre au moins vingt brochets afin de nourrir les chiens de papa. Presque quotidiennement mes frères et sœurs pêchaient avec la famille de Joe, Mantla. Nous nous amusions ferme avec tous les amis qui nous entouraient, Fred, Henry, Morris, John, Theresa et d'autres. Papa protestait parfois parce qu'il trouvait qu'il n'y avait pas suffisamment de poissons pour ses chiens.

Un jour où je pêchais, ma sœur Muriel se tenait derrière moi; mais je n'en étais pas consciente. J'ai lancé alors ma ligne très fort et l'hameçon s'est fiché malencontreusement dans son bras. Elle poussait des hurlements. Oh, mon Dieu! Qu'ai-je fait? Elle a pris la mouche, en colère contre moi comme si je l'avais fait par exprès. Elle se tordait de douleurs tandis que Joe lui enlevait l'hameçon du bras et que nous étions tous autour. J'étais affligée. L'état de torpeur que j'avais connu au pensionnat commençait à s'estomper.

Après tous les pleurs et la peur que cela avait semés, nous nous sommes tous mis à rire nerveusement. Muriel ne nous avait pas trouvés très drôles, ressentant toujours un peu de souffrance. Depuis cet incident, je suis devenue un peu plus prudente. C'est la vie! Mes parents n'ont pas souligné outre mesure la mésaventure, ils ont tout simplement désinfecté la plaie et apposé un diachylon. Et ma sœur Muriel ne m'en a pas tenu rigueur bien longtemps.

Un jour, nous lancions des flèches droit dans les airs aussi haut qu'elles pouvaient monter. La mienne s'éleva et s'éleva tellement que j'en perdis la trace. Mais soudain j'ai ressenti une douleur au bras. J'avais été frappé par ma propre flèche! Heureusement que je m'étais déplacée sinon elle m'aurait transpercé le crâne. J'avais saigné un peu, mais je n'avais pas pleuré même si c'était douloureux. Je m'étais aguerrie au pensionnat malgré moi. Par la suite nous avons usé de prudence et avons pris comme cible des boîtes de conserve.

Cet été-là j'ai écharpé accidentellement la main de mon petit frère Paul. Je me servais d'une hache bien affûtée pour tailler mes flèches. Mon frérot voulait apporter son aide, mais avant même que je puisse le prévenir de ne pas s'approcher, sa main s'est retrouvée dans la trajectoire de ma hache. La coupure était profonde et le sang giclait. Il pleurait à fendre l'air et aussitôt j'ai paniqué. J'ai voulu lui donner une tablette de chocolat, le soudoyer d'une manière quelconque comme j'avais appris au pensionnat afin qu'il cesse de pleurer et ameuter tout le monde. Mais sans grand succès, il pleurait de plus belle. J'étais en état de choc. Sur l'entrefaite, maman entendit les pleurs de Paul et est venue voir ce qui se passait. Elle appliqua immédiatement un bandage et le conduisit à l'infirmerie de la mine afin que les premiers soins lui soient apportés. Heureusement, la blessure n'était pas aussi grave que je l'avais cru. À son retour je lui ai remis la tablette de chocolat et j'ai continué à le gâter par la suite.

Je me suis estropié l'index de la main gauche également. Par la suite papa a jugé bon qu'il était préférable que j'utilise un couteau de chasse au lieu d'une hache. J'ai perfectionné ma technique du tir à l'arc. Je travaillais mes flèches en bois de saule afin de les redresser et je me servais de douilles évidées comme poids à la pointe de la flèche. Et à son extrémité je mettais des plumes que je trouvais par terre. Mon frère Joe m'a montré comment me fabriquer une fronde. Nous sommes allés dans le taillis à la recherche de la fourche la plus parfaite. À l'aide du couteau de chasse que je portais désormais toujours avec moi dans son étui, j'ai coupé le rameau qu'on avait choisi. Nous avons taillé deux bandes de caoutchouc dans une vieille chambre à air inutilisable. Deux jours plus tard, j'avais en main la plus belle fronde au monde. Aussitôt j'ai pris à tâche d'atteindre une cible qu'on avait fabriquée. Après plusieurs efforts je suis parvenue à régler mon tir avec le plan horizontal. Je suis devenue une tireuse d'élite et j'en dégageais une grande fierté. J'ai été également initiée au tir du couteau de chasse. Au commencement je n'avais pas de veine, mon couteau se retrouvait toujours par terre. Les garçons excellaient à ce jeu. Étonnée au point de perdre l'assurance. Puis je me suis dit qu'il ne fallait que je sois démontée pour si peu et j'ai réussi à atteindre la cible en plein centre.

Nous controuvions d'autres objets avec nos couteaux, des sifflets par exemple. C'est encore mon frère Joe qui m'a enseigné comment y procéder. Premièrement, nous choisissions une branche d'aune la plus droite qui soit. On tapait légèrement sur l'écorce pour qu'elle se détache du bois proprement dit. On glissait délicatement l'écorce de la tige qu'on entaillait par la suite. Enfin, on remettait l'écorce sur la tige de bois qu'on venait d'entailler. Voilà, nous avions un sifflet qui fonctionnait à merveille. J'en tirais une juste fierté, un orgueil bien légitime. Les Sœurs nous avaient enseigné qu'il fallait éviter ce défaut, le péché d'orgueil. Elles nous recommandaient plutôt la modestie. Tout ce que nous bricolions était fait à partir des produits de la terre. Papa nous avait inculqué qu'il fallait toujours remercier le Créateur lorsqu'on faisait usage d'un arbre : « muhsi cho ». Ma famille croyait profondément en l'interconnexion spirituelle sur la terre et son mystérieux pouvoir.

La mine Rayrock est située sur un gros rocher jaillissant du sol. La partie rocheuse me semblait une montagne quand j'étais jeune et je me souviens d'avoir monté sur le sommet. On avait une vue magnifique donnant sur les arbres qui s'étendait sur des milles aux alentours. On s'assoyait et admirait le paysage, tout en se payant du bon temps. Nous parcourions ma sœur Be'sha, moi et d'autres amis l'éminence rocheuse, un surprenant chaos de rochers énormes, écroulés, renversés entassés les uns sur les autres à la recherche de pierres de différentes variétés, nous initiant peu à peu à la minéralogie. Nous partions en randonnée habituellement pour la journée et apportions une collation et nous nous abreuvions à même l'eau de roche très limpide.

J'empruntais parfois les jumelles de mon père et l'on pouvait apercevoir de temps à autre un oiseau rapace regagnant son nid avec une proie dans le bec, creusé dans les anfractuosités de la roche. Nous empruntions des sentiers qui se dessinaient à travers les éboulés du roc. Papa nous avait recommandé de marcher toujours sur les pierres plates afin d'éviter de nous tordre les chevilles. Nous nous livrions à l'ascension à flanc de montagne pendant des heures et des heures, le souffle court. Mais nous retournions bientôt à la maison où nous attendait un repas chaud cuisiné par maman. Une vie d'aventures loin des tracasseries du pensionnat, sans horaire, sans programme. Loin des Sœurs qui pouvaient entrer dans une sainte colère pour un oui ou un non. Nous attribuions à des lubies leurs changements d'humeur. Parfois nous ne savions plus à quel saint se vouer.

À certains moments, Be'sha et moi taquinions maman pendant qu'elle balayait le plancher ou encore s'employait à quelque chose. Elle vaquait soit au soin du ménage, à l'occasion tannait une peau dehors. Nous la lutinions un peu, ce qui semblait l'amuser. Elle courait quelques fois après nous avec un balai en faisant semblant d'être hérissée. Nous détalions en lançant des cris et des glapissements, trouvant refuge sous un sac de couchage moelleux tandis que maman simulait de nous gourmer avec le balai, Be'sha à mes côtés se tordait de rire. Nous rigolions si bruyamment que maman finissait par se joindre à nous. Nous nous désopilions tellement que c'en était à faire pipi. Je ne m'étais jamais divertie autant de ma vie.

J'apportais à l'occasion mon assistance en vue d'améliorer des choses. La dernière fois que j'avais utilisé les jumelles de papa

j'avais remarqué une poussière logée sur une des lentilles. J'ai entrepris de les démonter. En revenant du travail, papa avait remarqué
que j'avais désassemblé ses précieuses jumelles. Il ne dit pas un mot.
J'avais pris soin cependant de bien aligner tous les éléments sur une
serviette afin de ne pas les mêler. Après avoir nettoyé avec minutie
les prismes, je me suis mise à tâche de remonter l'appareil optique
ce qui nécessita une bonne partie de la soirée, sous la lueur d'une
lampe à gaz. Le lendemain j'ai visionné la colline et tout était singulièrement clair. Mon père me regarda d'un sourire approbateur.

Insatiable et curieuse d'apprendre, j'ai pris l'initiative un
jour d'ouvrir la radio à piles afin de voir d'où venait la musique. Je
croyais naïvement, toute jeune que j'étais, qu'il y avait à l'intérieur
un orchestre. Tout ce que j'ai vu fut des fils et des lampes de différentes grosseurs. Sur l'entrefaite, un ami à mes parents est apparu
et il m'expliqua que le son était transmis par des ondes électroma-
gnétiques. Je n'avais rien compris, mais je l'ai cru sur parole. Un
jour qu'un concert était radiodiffusé, j'ai entendu *Le vol du Bour-
don*. Cela me rappela ma malencontreuse expérience avec ces
insectes. Ce fut également mon initiation à la musique classique.

Be'sha, qui était plutôt turbulente, s'avisa un jour de grim-
per sur le toit de l'habitacle. Puis elle s'est mise à glisser, mais au
moment où elle allait tomber du toit son vêtement resta accroché
à un clou. Nous avions bien ri de la voir suspendue dans les airs.
Quant à Be'sha elle en fut quitte pour la peur. Cependant, mes
parents ne l'entendirent pas ainsi et pour son espièglerie Be'sha alla
se coucher sans souper.

Lorsque nous résidions près de la mine Rayrock nous
avions la visite les fins de semaine de beaucoup de compagnons de
travail de mon père. L'un d'eux était un Français d'origine, qu'on
surnommait amoureusement Frenchie Canal, qui avait été un
courrier pour les Forces Alliées durant la dernière guerre. Nous
avons cherché à quelques reprises à nous faire raconter l'expérience

qu'il avait vécue durant ce terrible conflit. Il empruntait alors un visage morose et devenait taciturne. D'autre part, il adorait la bière que ma mère fabriquait. À chacune de ses visites, il avait des friandises pour nous et à Noël des présents. Il adorait le Nord et tenait en affection ses habitants. Une relation qu'on chérissait réciproquement. Je me suis toujours demandé d'où venait cette profonde affection des Français pour nous, Autochtones. Cela est probablement dû aux écrits de J.-J. Rousseau. Selon ce dernier, l'homme de la nature, le bon Indien, vivait libre, sain et heureux au milieu des vastes forêts, corrompu finalement par la société et la civilisation. C'est empreinte de nostalgie, de regrets mélancoliques que je songe à mes ancêtres qui se contentaient jadis de leurs tipis rustiques, qui se bornaient à coudre leurs habits de peaux avec des épines ou des arêtes, de se parer de plumes et de coquillages, de se peindre le corps de diverses couleurs, à perfectionner ou embellir leurs arcs et leurs flèches dont les pointes étaient taillées avec des pierres tranchantes, de fabriquer des canots d'écorce ou des tambours. Aujourd'hui le savoir des Anciens c'est le patrimoine de notre humanité, le flambeau qui éclaire tout le monde autochtone.

Cet été-là j'ai appris à jouer au jeu de crib. J'y suis parvenue assez facilement, mais je ne pouvais jamais, au grand jamais atteindre dix-neuf comme résultat. J'ai finalement compris qu'il fallait beaucoup de persévérance pour y parvenir. J'aimais jouer à des jeux parce que cela permettait de susciter et de développer des rapports sociaux entre mes parents et amis. Au jeu de crib papa gagnait toujours, mais je n'étais pas une mauvaise perdante pour autant; on se distrayait agréablement ce qui importait. J'ai réussi à gagner enfin avec un pointage de vingt-neuf. À force de ténacité j'avais touché au but que j'avais laborieusement visé. Ce fut la première et la dernière fois que j'ai atteint un si haut score à ce jeu. Papa m'a confié que la chance me souriait. (Ma chanson préférée était *Lucky Girl*).

Pas très loin de la maison, il y avait un bassin de décantation qui était alimenté des eaux résiduaires qui provenaient de la
mine. Des matières en suspension s'étaient accumulées tout autour
tout en se solidifiant. Elles formaient une masse crayeuse et ferme
sur laquelle on jouait. On se récréait sur un sol contaminé à notre
insu, insouciants des dangers qui pouvaient compromettre notre
santé. À proximité du bassin de décantation se trouvait un étang.
Je me souviens qu'on y avait, ma sœur et moi, perdu une poupée
miniature qu'on avait prénommée Thumbelina. Comme dans les
bandes dessinées que je lui lisais, nous l'avions déposée sur une
feuille et fait voguer sur l'eau de l'étang. Par malheur, elle s'est
enfoncée dans l'eau boueuse et l'avons perdue à jamais. Pauvre
Thumbelina! Les eaux marécageuses étaient habitées de grenouilles
qui croassaient la nuit et de têtards. Un jour, j'en avais amené à la
maison dans une grande jarre en verre. Mes parents m'avaient
conseillé de les retourner à l'étang si je voulais qu'ils vivent et se
transforment en grenouilles. C'est à regret que je les ai retournés à
l'eau et regardés partir au loin.

Quand le beau temps nous convenait, papa et moi partions
en excursion dans le boisé. J'ai été initiée à la technique des armes
à feu et mon père m'a enseigné les rudiments de la sécurité. Nous
avions apporté avec nous dans des sacs à dos tout le nécessaire pour
camper en pleine nature. Papa traînait également un petit canot
qu'il avait fabriqué sur une armature en bois et sur laquelle il avait
apposé une grosse toile qu'il avait recouverte de plusieurs couches
d'un enduit et astiqué d'une résine jaunâtre pour le rendre imperméable. Papa était un puits d'érudition, une mine de science. De sa
voix basso profundo il m'a enseigné mille et une choses, à trapper
les lapins, l'importance de la babiche dans la fabrication des
raquettes, de se méfier des loups, à confectionner un abri temporaire
avec des épinettes, marcher dans la forêt sans faire de bruit, d'éviter de poser le pied sur les branchages qui couvraient le sol au cas

où on verrait un animal. Durant le portage, alors qu'un soleil de juillet flambait au milieu du firmament, des nuages de moustiques nous assaillaient sans cesse de leur susurration. Heureusement que papa s'était muni d'une bombe insecticide nous protégeant des piqûres jour et nuit. Nous sommes parvenus bientôt aux abords d'un merveilleux petit lac.

Papa mit le canot à l'eau et répartit soigneusement nos effets pour bien équilibrer le canot. Il m'a montré aussi comment pagayer, de faire la boucle avec la rame ce qui nous permettait de nous approcher de la côte rocailleuse de côté sans tourner de bord en bord. J'étais si insatiable d'apprendre, de tout connaître que je lui adressais à chaque moment des questions. Nous sommes allés à la chasse aux canards et nous en avons aperçu quelques-uns. Nous nous sommes glissés furtivement près d'eux et papa en tira trois. Nous avons abordé avec notre butin.

Papa m'a montré comment faire un feu de camp—ce qui allait être ma tâche quotidienne durant toute la durée de notre incursion. Je l'ai regardé plumer les canards, recueillant soigneusement les petites plumes du duvet dans un sac. Il a passé à la flamme les canards pour brûler les poils. Puis il les a fait cuire doucement au-dessus des charbons de bois, une cuisson dont je raffolais. Le soir venu, nous nous assoyons autour du feu, sirotant une décoction de tisane d'herbes du Labrador—maman avait glissé quelques petites surprises dans nos provisions—qui descendait en moi, chaude et parfumée, en présence même de mon père duquel je ne pouvais m'empêcher d'admirer la sagesse. Un ciel serein, la fraîcheur de l'air, les doux rayons de la lune, le frémissement argenté dans l'eau brillait autour de nous; tout concourait à rendre cette fin de journée agréable. J'attendais la tombée du soir, ivre d'immensité, de fantasmagories, de solitude. Avant de nous retirer pour la nuit, je m'assurais que les cendres soient froides pour éviter les feux de forêt.

Enfin, il a fallu retourner à la maison, notre excursion avait pris fin plus tôt que j'aurais aimé. Papa devait retourner au travail, l'école allait bientôt recommencer. Mes frères devaient couper et fendre le bois pour l'hiver et préparer des copeaux pour démarrer le feu le matin. Après avoir écouté durant notre séjour dans la nature mon père s'exprimer avec tant de sagesse et d'éloquence, je savais qu'il était un grand conteur. Mon père a sans doute pensé que j'étais une enfant très sérieuse tellement que j'étais avide d'apprendre. Je buvais ses paroles. J'avais le sentiment qu'il s'intéressait à moi.

Je me souviens quand mon frère George est venu nous rendre visite avec sa famille de Yellowknife. Julia l'accompagnait ainsi que les enfants, Evelyn, Georgina, Bertha, Ted et John. Nous avons eu beaucoup de plaisir ensemble. Maman était fort occupée à cuisiner pour tout ce monde. Nous mangions à tire-larigot. J'avais été absente beaucoup trop longtemps de ma famille, c'était bon de renouer avec la parenté, avec tout le clan Blondin.

Cette année-là je ne suis pas retournée au pensionnat. Je me suis inscrite à l'école à Rayrock même. J'étais heureuse de me rendre tous les jours à pied à la petite école sur la colline. Je me suis liée d'amitié avec beaucoup d'amis, dont Wayne et Bart qui m'étaient très proches. Ils avaient un berger allemand, un compagnon fidèle. Malheureusement, ils l'ont perdu quand il s'est enfoncé à travers la glace dans l'eau froide de l'arctique. Avec les grands froids, la neige a suivi. J'empruntais la grande luge de mon père pour glisser de la colline de la mine jusqu'au quai. Nous étions parfois jusqu'à dix empilés pêle-mêle dans la luge pour la longue glissade jusqu'au bas de la colline.

À Noël nous allions dans le boisé chercher deux sapins, l'un pour la maison, l'autre pour l'école qu'on décorait sobrement. Puisqu'il n'y avait pas d'église à Rayrock Mine, les gens des environs venaient chez nous réciter le chapelet durant la période de l'Avent. Les plus pieux tout confits en dévotion se hasardaient à dire quelques dizaines supplémentaires, avec leurs grands chapelets à gros grains comme des noix.

Même si l'on croyait de moins en moins au Père Noël, il faisait bon de recevoir des cadeaux. Les murs de la maison étaient ornés de festons et durant les festivités maman nous servait des repas fastueux. Notre bon ami Frenchie Canal avait des présents pour tout le monde. Les petits cadeaux entretiennent l'amitié, se plaisait-il à dire. J'avais reçu comme cadeau un jeu de bingo que je me suis empressée d'ouvrir et tout le monde s'est attablé pour jouer. Quelques mois plus tard, à l'été de 1959, la mine devait cesser ses opérations. Nous avons emporté nos pénates vers une nouvelle destination : Yellowknife.

Nos Valeurs Traditionnelles

Lors de la fermeture de la mine Rayrock, la famille avait dû plier bagages, faire ses boîtes pour le long trajet vers Yellowknife. Nous avons abandonné l'habitacle et chargé tous les effets que mes parents voulaient garder, y compris les chiens, sur un camion à plateau. Notre première destination, l'embouchure nord du lac Marion. La route était étroite et avariée par endroits; après bien des déboires, nous y sommes parvenus. Nous nous sommes joints à d'autres Dénés en provenance de la mine Rayrock. Nous allions tous voyager ensemble par la voie des eaux et faire un premier arrêt à Behchokó. Papa avait dû troquer toutes nos possessions contre le bateau, car tout ce qui nous restait était le canot que papa avait fabriqué de ses mains et les chiens.

Après nous être tous montés à bord, nous avons fait voile vers notre première étape. Nous avons vogué pendant un long moment avant de mouiller. Nous avons été fort bien accueillis par d'autres familles lors de notre arrivée au quai. Ce fut une scène bien émouvante. Après notre débarquement nous nous sommes acheminés vers des amis de mes parents qui nous ont logés. Nous nous y sommes attardés pendant quelque temps avant de repartir vers Yellowknife, notre objectif terminal.

Le village de Behchokó était composé de plusieurs habitations, d'un hôpital dirigé par les missionnaires, une église ainsi qu'un presbytère, de même qu'un comptoir de la Cie de la Baie d'Hudson avec son typique toit rouge. Le long de la rive, les eaux étaient troubles avec beaucoup de chiens retenus par des sangles. C'est la plus grande communauté de Dénés au Nord et les gens habitent des maisons en bois équarri construites par eux-mêmes. Les interstices entre les madriers étaient garnis de mousse et de boue afin d'empêcher le vent et le froid de s'y infiltrer et à l'intérieur le logement était confortable.

Nous avons salué plusieurs Anciens. Leurs mains étaient douces en dépit de la vie rude qu'ils menaient dans un milieu rigoureux et inclément. Les femmes étaient toutes vêtues de la même façon, avec un fichu d'un rose vif recouvrant leurs longs cheveux. Elles portaient une longue jupe, un genre de pourpoint bleu, des bas, des chaussettes roses ou vertes, des mocassins avec des galoches qu'elles enfilaient par-dessus. Ma mère se drapait de cette façon, mon père empruntait les vêtements masculins des lieux. Il portait une casquette de laine cardée avec armure sergé, un blouson, des pantalons noirs, des mocassins recouverts de galoches. Tout l'habillement provenait du comptoir de la Cie de la Baie d'Hudson.

Les gens ne se vêtaient de leurs superbes costumes traditionnels que lors d'occasions spéciales et jours de fête marqués par des danses du tambour et des jeux de paume. Lors de ses occurrences, on entendait beaucoup de conversations en platcôté-de-chien (Tlicho). Seuls les jeunes Dénés issus des pensionnats utilisaient la langue anglaise.

Je me souviens qu'on allait de maison en maison donner la main à chacun selon la tradition. Il se buvait beaucoup de thé et l'on parlait pendant des heures et des heures. Je ne pouvais pas comprendre mon propre peuple en raison du fait qu'il était strictement interdit pendant mes années de pensionnat de parler les langues autochtones. Il y avait entre eux et moi une barrière linguistique. J'avais honte d'admettre que je ne les comprenais pas, le laissant voir d'un haussement des épaules, avec la main en l'air, d'un mouvement corporel. C'est tout ce que je pouvais faire pour leur laisser savoir que je ne pouvais pas communiquer avec eux. Je me sentais humiliée. J'étais incapable de leur faire part de tous les outrages que j'avais connus à quatre, cinq et six ans, dépouillée de ma langue et élevée en anglais seulement. Les Sœurs se sont couvertes de honte en agissant de la sorte. Elles nous voyaient à travers un prisme, déformant ainsi la réalité. Elles avaient l'approbation de leur conscience, se sentant justifiées.

Je me rappelle d'avoir rencontré des pensionnaires et leur avoir demandé—elles étaient hésitantes et quelque peu mal à l'aise—qu'elles puissent servir de trait d'union entre moi et les Anciens qui voulaient échanger avec moi parce que j'étais la fille d'Edward et Eliza Blondin. Mes parents pouvaient avec une habilité déconcertante passer d'un dialecte déné à un autre. Je ne parlais que l'anglais et je ne pouvais pas communiquer avec la majorité des gens sans l'aide de mes amis : Rosa Bishop, Lucy, Dorothy, Fred, Morris, Theresa et d'autres.

Nous sommes arrivés à Behchokó au moment où l'on célébrait le Festival des Traités en organisant une grande fête, jouant aux jeux traditionnels de paumes, exécutant des danses du tambour jusqu'aux petites heures du matin. Je me souviens qu'en dansant l'on formait un immense cercle, effectuant une suite expressive de mouvements du corps au son des battements du tambour, suivant une technique, un code social explicite.

Un immense festin précédait traditionnellement la danse du tambour. Comme prélude les Anciens intervenaient éloquemment et pendant une bonne heure nous entretenaient avec sagesse de la vie dans le Nord, leurs façons de faire. Les discours terminés, l'on entamait le somptueux et copieux repas d'apparat qui était servi par de jeunes hommes et cuisiné par les femmes du village. La nourriture était abondante et variée, du caribou, du poisson, un dessert au riz garni de raisins secs et du thé—qui n'était pas servi dans des tasses de fantaisie comme à la cour de la Reine, mais tout de même odorant et délectable. Chacun apportait son assiette et ses ustensiles et s'assoyait à même le sol autour de la grande toile cirée. La réception avait été un succès du tonnerre. Le festin terminé, les jeunes hommes s'empressaient de nettoyer les lieux tout en se taquinant.

Il y a bien d'autres activités dont j'aurais aimé vous faire part, mais ce qui est important de savoir c'est que nous conservions et pratiquions les coutumes qui sont l'apanage de nos Ancêtres, qui perpétuent la tradition mythique : ces récits fabuleux qui mettent en scène des êtres incarnant sous une forme symbolique des forces de la nature, des aspects de la condition humaine. J'ai appris maintenant à reconnaître que le peuple déné a un système de valeurs auquel se sont adjointes la spiritualité et la persévérance. Ces deux éléments sont nécessaires à la survie dans le Grand Nord. Le système de valeurs d'une société reflète sa structure qui est composée chez les Dénés de chefs, un groupe formé de dignitaires et d'administrateurs qui visent à maintenir une structure sociale pour la famille, les enfants et la société en général. Les mythes traduisent les règles courantes d'un groupe social. Ma famille croit en une relation spirituelle entre les êtres humains, les éléments de la vie, les énergies positives et négatives, une éducation saine pour les enfants et l'enseignement de principes moraux. Ces forces de la vie font partie du quotidien et devraient être respectées en tout temps. Cette bonne intelligence des choses concerne tout véritable Déné qui habite le Nord de notre grand pays.

Yellowknife, et Quelle Expérience ce Fut

Nous avons passé un beau séjour à Behchokó, cependant toutes bonnes choses mènent finalement à une nouvelle aventure. Nous avons quitté Behchokó en canot, nous faufilant par le lac Marion dans le bras nord du Grand lac des Esclaves. Papa était à la barre du canot chargé à l'excès alors que maman et mes frères et sœurs et moi admirions le paysage qui se déroulait sous nos yeux. Nous devions rester immobiles dans le canot pour éviter de le faire chavirer. Si nous avions soif, nous trempions simplement une tasse dans l'eau ou encore buvions à grand bruit l'eau qui s'égouttait de la rame.

Je me souviens que nous sommes passés de l'eau trouble de la rive nord du Grand lac des Esclaves à une eau limpide. C'était comme si l'eau du lac avait été tranchée au couteau, d'un côté l'eau était brouillée, de l'autre claire. La différence était frappante et l'on se demandait quelle en était la cause. J'ai souvenir d'avoir passé sous le pont entre l'île Latham et la terre ferme où se trouvait le comptoir de la Baie d'Hudson. Durant la traversée nous avons accosté près de l'endroit où demeurait mon frère George, nous y avons séjourné quelque temps, puis aménagé chez Antoine et Elise Liske. Je me souviens que j'avais dormi dans l'intimité sous le comble de la maison. Ils étaient modernes pour l'époque, possédant même un réfrigérateur.

J'arrivais dans un nouvel environnement où tout était différent. Les enfants sur l'île Latham jouaient à un jeu de balle dérivé du base-ball. Un premier joueur après avoir frappé la balle le plus loin possible se mettait à courir autour des buts pendant que tous les autres partaient à la poursuite de la balle. L'enjeu consistait à toucher le coureur avec la balle pendant son circuit. Si ce dernier parvenait à faire le tour des buts indemne et parvenait au marbre sain et sauf, sans avoir été atteint par la balle alors il avait compté un point. Dans le cas contraire, s'il n'avait pu échapper au tir de la balle, il était éliminé. Les enfants jouaient à ce jeu tous les soirs lorsqu'il faisait beau.

À cette époque l'île Latham était habitée par une petite population composée principalement de jeunes autochtones et je me suis faite beaucoup d'amis en jouant à des jeux. Nous avons bientôt aménagé dans un complexe immobilier situé dans un secteur nommé Rainbow Valley ou N'dilo pourvu par le Ministère des Affaires indiennes et du Nord sur des terres destinées aux Autochtones. En même temps que d'autres familles : les Sangri, Lafferty, Martin, Abel, Tsetta, Paulette et les deux familles Betsina, tous s'installèrent dans les dix nouvelles petites maisons constituées de deux chambres à coucher et d'une cuisinette. Les maisons étaient froides en hiver, mais au moins nous avions un toit pour nous couvrir. Nous chauffions à blanc le poêle à bois pendant toute la nuit afin de nous garder au chaud. Chaque maison possédait sa propre toilette extérieure. L'eau était livrée par des camions-citernes à longueur d'année. J'ai fait la découverte de plusieurs cultures; j'ai été initiée à la politique, l'éducation, la géographie des lieux et au droit, branches du savoir qui ne nous étaient pas enseignées au pensionnat.

J'y ai vécu durant la saison de l'hiver et fréquenté pendant ce temps l'école St. Patrick, à Yellowknife. N'dilo se trouvait à trois km environ de l'école et on prenait l'autobus pour s'y rendre. J'ai rencontré les élèves du milieu; cependant j'étais timide, je ne me suis pas liée avec aucun. J'avais l'impression que la majorité des élèves vivait bien : les parents ayant un emploi régulier dans l'industrie minière de la région, alors que mes parents tiraient le diable par la queue au sein de cette communauté principalement anglophone. J'ai été parfois la cible d'invectives racistes et stigmatisée par les remarques stéréotypées de gens sans scrupules qui m'appelaient « la squaw ». Leur sectarisme était difficilement supportable. Je n'étais peut-être pas aussi élégamment vêtue qu'eux, mais j'avais de bons parents malgré le fait que nous vivions dans une pauvreté relative.

Pour une raison quelconque, je ne me sentais pas à l'aise au milieu de tous ces gens de race blanche. Ils affichaient un mépris sans borne pour les Autochtones. J'aurais aimé leur cracher mon dédain à leur visage. Au pensionnat, nous n'avions pas appris à nous blinder contre les ignominies. Je me méprisais. J'avais une bien mauvaise estime de moi-même, étant une Indienne. On se moquait de moi sur la cour de l'école parce que j'étais habillée différemment. Une action insidieuse sur mon esprit, tendant à démoraliser, à dérouter. Je manquais d'assurance dans ce milieu, j'avais de la difficulté à surmonter ma timidité.

Avant d'arriver dans une grande ville de la taille de Yellowknife, j'avais toujours vécu dans de petits villages où les gens étaient beaucoup plus amicaux entre eux. J'ai été confrontée à la toxicomanie pour la première fois, créant un état de dépendance psychique et physique à l'égard de ses effets. J'ai aperçu pour la première fois des gens, les miens, ma propre ethnie, ivres, bestialement ivres, ils ne pouvaient plus de tenir, ni parler, ni voir. J'avais mal en mon âme. Les méfaits engendrés par l'abus des boissons alcooliques, engendrant des troubles morbides. Mes parents fabriquaient de la bière maison, mais je ne les ai jamais vus dans un tel état.

Il y avait bien quelques Autochtones qui travaillaient à la mine, tel que mon frère George, mais le plus grand nombre d'entre

eux continuaient de chasser, trapper et de pêcher pendant toute
l'année. L'été sous le soleil de minuit ils allaient pêcher à Weldeleh
ou Enodah. Plusieurs Dénés choisirent de vivre selon le mode traditionnel par goût, dans l'immensité de la nature. Si le passage à
la vie urbaine avait amené la prospérité matérielle, il avait aussi
apporté avec lui son lot de méfaits, la promiscuité, le chômage, des
groupes de jeunes désoeuvrés traînant dans les rues en bandes. Au
pensionnat, je n'avais pas été inculqué à la montée du gangstérisme
et à ses effets pervers sur une communauté.

Un soir, je revenais du cinéma à une heure tardive en compagnie d'un membre de ma parenté. La rue assombrie déjà par la
nuit commençante. J'ai été victime d'un viol collectif. J'avais environ douze ans à l'époque. Ils étaient au nombre de sept ou huit
garçons et ils m'ont fait violence à répétition. J'en ai reconnu trois
parmi ces derniers et je sais qui vous êtes maintenant. J'avais été tellement triturée dans mes chairs par ces abrutis que les blessures
corporelles prirent un long moment à guérir. Des rêves malsains
hantent encore mon sommeil. Ils m'ont abandonnée sur le plancher d'une masure, les os brisés. De peine et de misère, j'ai réussi
à me lever en m'appuyant de mes bras sensibles. J'avais remis mes
vêtements à l'envers, mais qu'importe je suis parvenue à la maison
le corps douloureux.

« Qui est-ce? » a demandé maman quand je suis rentrée. Je
lui ai répondu « c'est moi, Alice ». Le sommeil a tardé à venir pour
finalement m'assoupir. Je sais que trois des contrevenants ont par
la suite quitté Yellowknife, quant aux autres j'ignore ce qui est
advenu d'eux. Mais ils ne pourront pas courir tout le temps, car ils
devront vivre avec leur geste infâme qu'ils ont commis sur moi.
Alors que je rédige ces mots des larmes jaillissent à flots pressés de
mes yeux endoloris. Au début, je voulais répondre à la violence par
la violence. Je voulais les démasquer, les dénoncer pour ce qu'ils
étaient : des violeurs. Les exposer à la désapprobation sociale. J'étais

si innocente que je ne méritais pas d'être brutalement agressée de la sorte. Enfin, j'ai renoncé à tirer vengeance de leur action après plusieurs années, car je ne voulais pas être liée à eux toute ma vie. Je leur ai pardonné, mais ne n'ai pas oublié pour autant. Il est déplorable de souligner que la justice canadienne n'a jamais été portée à juger et condamner ces prédateurs. Les mesures policières élastiques, les enquêtes judiciaires bâclées. De plus, forcer les victimes de viol à témoigner, c'est rouvrir la blessure.

Je venais de déménager à Yellowknife, je ne savais à qui m'adresser pour obtenir de l'aide. Alors, j'ai tout gardé en moi et vécu dans la honte. Je l'ai tenu secret. Je l'ai même caché à mes parents. Je n'ai pas pris de rendez-vous à la clinique médical. J'étais la victime, toutefois je me sentais coupable, impure. J'étais damnée, j'allais connaître le châtiment, les peines de l'enfer. Ce sur quoi on garde le silence, par crainte, par embarras. J'ai ressenti de cruelles souffrances ma vie durant, mais enfin j'ai compris qu'il y avait eu un témoin—Dieu, notre Créateur

Ce ne fut que beaucoup plus tard, mariée, avec des enfants, que je me suis dévoilée alors que je travaillais dans un effort concerté avec l'Association des Femmes Autochtones des T. du N-O. et d'autres agences gouvernementales sur un programme de sensibilisation aux victimes de sévices à caractère sexuel. J'ai plongé au fond de moi-même pour trouver les mots qui traduiraient fidèlement ma pensée. Lorsque j'ai fait part publiquement à la presse écrite et télévisée de cet horrible incident, cela a fait resurgir tous les souvenirs dans les moindres détails. J'étais envahie d'un esprit de vengeance. Tout ce que je désirais c'était les pires châtiments pour les agresseurs. J'étais dégoûtée, révoltée. Je craignais d'être à nouveau une victime. Je me sentais dépourvue, intimidée, troublée au plus profond de mon être jusqu'à ce que je découvre en échangeant avec d'autres victimes de violence sexuelle que je n'étais pas la seule à ressentir très profondément ces choses. Pendant des années, j'ai souffert sans avoir reçu les consolations que l'amitié prodigue aux êtres meurtris. Maintenant je sais que j'aurais pu me confier à quelqu'un. Voici un extrait de ce qui a été formulé lors d'une conférence :

> *Souvenez-vous que la personne qui vous a assailli est capable de vous faire croire que c'est vous la coupable. Pour votre bien, confiez-vous à un proche. Ou mieux encore remettez-vous à quelqu'un qui va agir. Parce que si on ne fait que vous promettre que cela va cesser, vous vous leurrez. Ça n'arrêtera pas tant que vous n'y mettrez pas fin.*
> —*Une victime d'inceste*

Le gouvernement des T. du N-O ont lancé un nouveau programme de sensibilisation, de prévention, d'intervention et d'éducation échafaudé à partir des recommandations issues de la rencontre de l'Association des Femmes autochtones concernant les sévices sexuels. Ceci eut lieu vingt-huit ans après que j'aie été victime d'un viol collectif. À partir de ce moment-là, j'ai été en mesure de prendre une approche pragmatique auprès de la communauté sur ce point de concert avec les centres des services sociaux du Nord. Je suis fière d'avoir apporté mon aide aux victimes de sévices sexuels. Je savais qu'en tant être humain que j'avais été violentée, mais malgré tout je n'ai jamais dénoncé les violeurs.

Muriel, sœur d'Alice, et ses petits-enfants à son
camp culturel, N'dilo, Yellowknife, T.N.O.

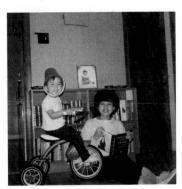

Alice (à droite) et ma fille
Pamela. 1971

Eliza Blondin, ma fille Pamela et
mon neveu Grant

Joe Blondin debout dans un trou
dans la glace

De Retour à Breynat Hall

Huitième année, Internat Breynat Hall.
Alice Blondin: première rangée, à gauche

Alors, je suis retournée à l'automne à l'internat Breynat Hall avec
Be'sha et Paul. Ainsi donc, mes parents revinrent à leur mode de
vie traditionnelle, s'adonnant à la chasse, à la pêche et au piégeage
Mon frérot Paul a été dirigé à la section des petits garçons. Be'sha
et moi à la section des grandes filles sous la direction de Sœur Drolet—une Sœur Grise, austère et inflexible, au visage de rapace. Elle
était responsable de quarante adolescentes; elle était souvent de
mauvais poil.

Les garçons étaient beaucoup plus chanceux. Ils avaient
comme surveillants des jeunes Autochtones. Bob, Leon et Jonas
qui s'entendaient bien avec les garçons. Depuis que le Gouvernement avait pris le contrôle des pensionnats en 1952 les choses

avaient radicalement changées et pour le mieux. Bien que nous nous trouvions sous la gouverne des religieux et religieuses catholiques, nous pouvions maintenant nous exprimer dans nos propres dialectes Dénés.

Un jour d'hiver alors qu'un grand froid régnait, j'ai croisé par hasard dans les couloirs de l'internant mon jeune frère Paul qui revenait de l'extérieur. Il était coiffé à la Elvis Prestley, la pointe de ses cheveux recouverte de glaçons qui avaient gelé subitement dans le froid polaire. En le voyant, j'éclatai de rire, trouvant cela très rigolo. Il faisait bon de pouvoir exprimer des émotions et être capable d'échanger avec les membres de sa famille sans être intimidé.

Sœur Drolet était d'une moralité rigoriste qui décidait même du genre de musique que nous écoutions. On sentait chez elle la froidure des mœurs anciennes et monastiques. Nous étions de jeunes adolescentes d'humeur à rire et qui avaient envie de danser au son d'une musique très rythmée, inspirée du jazz. En accord avec la mélodie de la radio ou du tourne-disque, nous gambillions. Soudainement Sœur Drolet surgissait et éteignait la radio ou arrêtait le tourne-disque sans dire un mot parce qu'elle n'approuvait pas les paroles de la chanson, contraire aux bonnes mœurs. Nous cessions la danse et nous la regardions souffler comme un bœuf parce qu'elle était vexée. Elle n'était nullement disposée à faire des compromis. Nous ne savions plus sur quel pied danser; peut-être nous trouvait-elle trop rockeuses.

De jour en jour nous nous demandions comment Soeur Drolet allait se comporter. Si elle était d'humeur brouillonne et querelleuse parce qu'elle s'était levée du pied gauche, nous nous sauvions, trouvant refuge soit au dortoir ou dans les toilettes. Je la vois encore dans son habit brou de noix recouvert d'un tablier, nous surveillant constamment avec ses gros yeux de hibou. Elle attendait qu'on commette un impair, ce que nous ne manquions pas à l'occasion de faire, pour nous accabler d'insultes et de mépris. L'internat aurait dû être un endroit où nous nous serions senties heureuses et désirées. Un lieu où nous aurions reçu un enseignement programmé des connaissances, aurions été inculquées de préceptes, de manières d'agir et de penser; malheureusement, ce ne fut pas le cas. Je me retirais, je m'enfermais sur moi-même, trouvant refuge dans les rêves.

Il n'existait aucun programme d'éducation sexuelle à l'internat. Les principaux besoins et les questions et préoccupations des adolescentes pubères relativement à la sexualité n'étaient jamais abordés. Les Sœurs, des êtres asexués, ne semblaient pas se questionner sur les changements qui accompagnent cette période significative de la vie des adolescentes. Nous n'avions jamais été informées des infections transmises sexuellement, à leurs conséquences à long terme ainsi qu'à leurs différents modes de transmission. Ainsi, nous aurions pris conscience de l'importance d'adopter des comportements préventifs plus sécuritaires. De plus, être invitées à réfléchir sur notre rôle et nos valeurs en matière de contraception.

Les Sœurs ne se sentaient pas à l'aise d'aborder la question de la sexualité. Nos propres parents auraient beaucoup mieux facilité les choses, sensibilisés aux attitudes positives, c'est-à-dire celles pouvant contribuer au dialogue et l'échange entre personnes en autorité et adolescentes. Je crois que ce rôle est pertinemment beaucoup plus dévolu aux parents en tant qu'éducateurs. Cette même année, une pensionnaire nous quitta dans le silence de la nuit. À notre insu, elle fut conduite à l'hôpital pour accoucher d'un enfant. Pauvre Pearl (nom fictif), elle était tellement gentille. Elles l'ont amenée et nous ne l'avons jamais plus entendu parler d'elle.

Les femmes donnaient naissance à des enfants quotidiennement et ma mère était une maïeuticienne; cependant, il n'était jamais question de conception, gestation et d'accouchement, ces choses n'étaient jamais abordées ouvertement avec les Sœurs. Elles considéraient cela comme impur, parce que c'était péché; un mystère entourait ces tabous sexuels. Devenues adolescentes, il était grand temps que nous sachions comment les enfants viennent au monde, de nous mettre devant les réalités de la vie. Les Sœurs éprouvaient un sentiment de honte, de gêne d'envisager les choses de nature sexuelle. Nous étions tenues complètement dans l'ignorance quant à la régulation des naissances en milieu familial. À tout le moins des livres à propos de la biologie, des phénomènes vitaux, la reproduction des espèces ou encore des fiches anatomiques auraient dû être mis à notre disposition.

Un jour Ruth, une de mes bonnes amies, fut vertement malmenée par Sœur Drolet. Ruth portait un gilet troué à la manche, mais c'était à peine visible. Nous n'étions pas riches donc il fallait user nos vêtements à la corde. Quoi qu'il en soit, Sœur Drolet eut le malheur de repérer le trou et cette dernière enfonça le doigt droit dedans et déchira sans ménagement son gilet de part et d'autre. C'était le seul gilet que Ruth possédait et les larmes lui montèrent aux yeux. Ruth resta marquée par ce geste irascible de Sœur Drolet. Par bonheur, Ruth est parvenue à parler ouvertement de ce traumatisme dont elle avait été victime, ce qui lui permit de se guérir de cette souffrance psychique.

Sœur Drolet nous a dépossédées de notre jeunesse en toute impunité. Elle se permettait de faire n'importe quoi et nous n'aurions pas dû laisser passer cela. Parfois, j'étais envahie d'une envie folle de lui arracher sa cornette et de la piétiner de rage. J'aurais sans doute été trouvée coupable d'avoir commis un sacrilège pour ce geste irrévérencieux sur une personne investie d'un caractère sacré. Une fois j'ai été surprise à me regarder dans le miroir avant de partir pour l'école. J'avais été sermonnée d'être vaniteuse comme un paon, alors qu'au fond ce n'étaient que de légères frivolités innocentes de ma part. Eh bien, pourquoi y avait-il des miroirs dans le pensionnat si elle ne voulait pas qu'on s'y mire?

Même si pour bien des pédagogues le jeu pour les enfants est une profonde occupation, les Sœurs ne semblaient pas croire profondément à cette affirmation; elles donnaient plutôt crédit à des occupations plus sereines, telle la broderie. Je détestais ce genre d'activité. Pour nous garder affairées, les Soeurs nous faisaient broder des fleurs et des feuilles sur des nappes blanches ou des chemins de bahuts. Mais malgré tout je m'y adonnais avec application. Au cours des ans, mon enthousiasme s'est amoindri. On ne voyait jamais les résultats de nos œuvres, et encore moins félicitées. J'avais l'impression d'être une esclave. Par contre, les garçons étaient plus chanceux. Ils pouvaient se livrer à des jeux athlétiques. Ce fut grâce à l'initiative de Bob, l'un des surveillants du côté des garçons—il était devenu orphelin à très bas âge et élevé dans les pensionnats—que la chapelle de la résidence fut transformée en gymnase. Quant à moi, j'avais un exutoire. Je me soulageais en jouant au billard ou au ping-pong.

Nous avions dans notre section une table de billard qui pouvait se transformer, en y superposant un panneau, en jeu de ping-pong. Je pratiquais beaucoup et je suis devenue une joueuse aguerrie tant au billard qu'au ping-pong. Je préférais de loin le billard parce que je pouvais faire valoir mes tours d'adresse. Surtout lorsque j'étais en compétitivité avec les Pères Oblats qui venaient nous rendre visite. J'étais une adversaire redoutable, car je gagnais à chaque fois. On me lançait des défis et je savais les relever. J'étais heureuse parce que cela me redonnait confiance. Je pouvais à nouveau croire en mes capacités.

Finalement, nous avons eu accès au gymnase tout comme les garçons où l'on pouvait s'ébrouer en jouant au ballon-panier, au ballon volant. L'hiver venu, nous nous ébattions durant la récréation sur la patinoire à jouer au ballon-balai, si nous parvenions à monter des équipes. J'étais la première à enfiler les patins et sur la glace je me faufilais entre les joueuses pour faire entrer le ballon dans le but adverse. J'aimais l'ambiance mouvementée de ce jeu. Comme d'habitude, nous nous levions au son de la cloche. Nous nous lavions, brossions nos dents et peignions convenablement nos cheveux. Celles qui le désiraient pouvaient assister à la messe. Après le déjeuner nous nous préparions à aller à l'école. À la différence de Fort Resolution, les douches étaient équipées d'isoloirs et des baignoires avaient été installées. Nous pouvions prendre un bain de temps à autre. Comme toujours nous devions prendre notre douche d'une manière très pudique. Un sous-vêtement devait couvrir les parties de notre corps que les Sœurs considéraient comme indécentes.

Ainsi donc, nous devions nous doucher sous la haute surveillance de Sœur Drolet afin d'éviter toute impudicité de notre part. Tous les samedis, nous prenions collectivement notre douche sur le regard indiscret de Sœur Drolet. Pour les esprits malsains, il y a de terribles impudicités partout; ils en voient même dans les célèbres peintures de Michaelangelo Buonarroti qui ornent la Chapelle Sixtine.

L'enseignement religieux conféré par les Sœurs Grises nous préparait très mal pour l'avenir. Cependant, les professeurs laïques qui nous enseignaient maintenant à l'école publique que nous fréquentions étaient plus adéquats, tenant compte des progrès scientifiques et technologiques les plus récents. De plus, ils étaient en veine de générosité et d'indulgence. Une fois de plus l'école nous permettait de quitter la résidence et d'échapper à la paranoïa de Sœur Drolet. Après les classes je me rendais à la bibliothèque. Mon esprit était comme une éponge qui absorbait toutes les connaissances qui se présentaient à moi. Ainsi, la bibliothèque devint un lieu où je passais de plus en plus de temps. Le livre était pour moi une évasion. Je me créais un monde où je trouvais la paix. Dès que j'avais un moment de libre, je lisais. J'apportais toujours un livre avec moi.

Mes amies sont devenues également des lectrices acharnées et si nous trouvions un livre qui nous plaisait nous nous passions le message. Emelda lisait parfois en cachette, à la lueur d'une lampe de poche, dessous les draps. Mon lit côtoyait le sien et je pouvais apercevoir son ombre. C'était dommage que nous devions agir de la sorte pour nous adonner à la lecture. Les livres que nous retrouvions habituellement dans les pensionnats étaient des éditions expurgées destinées « à l'usage de la jeunesse et des personnes du sexe » alors que ceux réservés aux « messieurs » étaient salaces et sensuels. Il y avait là une hypocrisie qu'on est en voie d'évacuer de nos jours et il faut bien constater que les jeunes sont en ce domaine d'excellentes sources d'information. Ainsi, est-ce bien avec équanimité qu'on ait laissé « la feuille de vigne » dans les petits bourgs viticoles. Si Sœur Drolet avait su ce que nous lisions, elle aurait fait une syncope.

L'École Joseph Burr Tyrrell était située en face de la cour de l'internat, donc nous n'avions pas long à faire pour s'y rendre. Les élèves provenaient de l'internat et de la ville de Fort Smith avec lesquels je me suis liée d'amitié. Pendant la récréation, nous creusions des trous dans la neige et nous nous glissions dedans comme si c'était un iglou, admirant le firmament d'un bleu étincelant, entourés de neige blanche. C'était plaisant de se mêler aux élèves de la ville parce qu'ils étaient si différents. Ils étaient libres de s'exprimer comme bon leur semblaient, alors que nous devions ménager nos transports. J'avais l'impression de vivre dans une bulle entre les murs de l'internat, mais au milieu des enfants de la ville j'étais complètement dans un autre monde. Le courant ne passait pas entre moi et les Sœurs Grises. À l'internat nous étions programmées comme une horloge. Chaque jour nous devions faire une heure de broderie; après le souper, les devoirs. Nous ne pouvions pas déroger à la routine quotidienne. Tout ce temps, la Sœur surveillante au visage taillé à la serpe ne nous quittait pas des yeux. Le personnel de la cafétéria à Breynat Hall était composé de laïques venant de la ville. La nourriture était bonne et présentée d'une manière appétissante. La cuisine était équipée d'un lave-vaisselle industriel. Quelques élèves apportaient leur aide pour ranger la vaisselle et essuyer les ustensiles, moyennant une rétribution mensuelle de dix dollars. Le samedi, nous prêtions main-forte à la cuisinière en dégageant les yeux des pommes de terre que nous déposions par la suite dans un grand récipient métallique qui, animé d'un mouvement rotatif, enlevait mécaniquement les pelures. Puis les mettions dans un immense bassin rempli d'eau en attendant l'heure des repas.

On servait à Breynat Hall une nourriture relativement substantielle, des mets copieux. Les déjeuners consistaient de gruau, fèves au lard, des rôties et d'un verre de lait. Le samedi, il y avait relâche d'horaire et on se levait à l'heure qu'on voulait. Ce matin-là, des œufs à la coque et des rôties étaient servis. Durant l'année scolaire, nous revenions dîner à la résidence où nous attendait un repas chaud : soupe, bœuf en daube ou encore cuisiné avec une autre viande, pâté chinois, du pain et du lait. Le souper était également délicieux : purée de pommes de terre, pain de viande ou du poisson et des légumes. Je pouvais manger maintenant des carottes, des betteraves, des navets et des pois cuits dans l'eau dont jadis j'avais tant détesté le goût et que j'aimais maintenant. Ce n'était pas parce que j'avais une fine bouche ou encore que j'étais difficile. Mes papilles gustatives avaient évolué, elles n'étaient plus celles d'une petite fille de quatre ans qui ne connaissait pas ces légumes.

Tous les jours à l'heure du souper nous avions une répétition de chant en vue de devenir d'excellentes choristes. Nous nous entraînions dans le but de chanter convenablement lors de services religieux à l'église, motets, antiennes et séquences, lors de réunions spéciales des Pères Oblats, ou en vue de concerts que nous donnions à Breynat Hall. Nous avons appris le solfège d'une Sœur Grise qui possédait des connaissances en musique et à psalmodier, vocaliser, nuancer et le plain-chant. Il y avait trois types de voix : alto, soprano, ténor.

Une de mes amies n'était nullement douée pour la musique et n'avait pas d'oreille. Elle se tenait tout près de moi dans la chorale et chantait complètement faux. J'avais le fou rire tellement que parfois elle se lançait dans d'éclatantes fausses notes. J'ai décidé de changer de section pour celle des alti afin de me retrouver loin d'elle.

Notre enseignante de musique était excellente et patiente avec nous. Nous répétions tant et aussi longtemps que nos voix furent mélodieuses. Certaines chantaient en faux-bourdon, d'autres à pleine voix. Lors des services religieux à l'église, les fidèles appréciaient nos prestations et nous en étions d'autant plus fières.

Je me suis impliquée dans plusieurs pièces de théâtre au cours des ans et j'ai joué le rôle de Notre-Dame de Fatima, rétablissant à la santé un homme sur le point de mourir. Henry, un copain à moi, jouait ce personnage. À toutes les répétitions, il était allongé devant moi sur un brancard et accomplissait sa figuration de manière satisfaisante. Enfin vint le grand jour où nous devions nous produire devant l'évêque, les Pères Oblats venus en grand nombre, la Sœur Supérieure et tous les garçons et les filles de l'internat. Tous les interprètes avaient hâte d'exécuter leur rôle le plus parfaitement possible et ils étaient quelque peu nerveux.

La salle était pleine à craquer et les spectateurs attendaient avec une impatience grandissante la performance. J'étais montée sur un socle, costumée et sereine dans le rôle de la Vierge Marie. Comme il se devait, Henry était étendu à mes pieds, face à moi, le dos aux spectateurs. Mal lui en prit cette fois-ci de chercher à me faire rire en faisant toutes sortes de grimaces, sortant la langue, louchant des yeux, faisant des simagrées. Tout ce temps j'essayais de garder ma contenance, de me retenir de rire. Par bonheur, je suis parvenue à guérir miraculeusement le grabataire qui se leva et quitta la scène d'un air heureux sous les applaudissements à tout rompre de l'auditoire. J'en ai tiré une juste fierté de mon interprétation dans le rôle de la Vierge Marie et malgré tout Henry avait joué son rôle malgré ses facéties.

Il y avait une chapelle dans la résidence où je m'y rendais souventefois en compagnie d'autres élèves dont ma bonne amie Mary Rose. La chapelle se trouvait sur l'étage principal dans la section réservée aux Sœurs Grises et aux Pères Oblats à Breynat Hall. Tous les dimanches nous nous rendions à la Cathédrale St-Joseph qui se trouvait à une bonne distance à pied de la résidence. L'édifice religieux était gigantesque vue de l'extérieur et somptueusement orné à l'intérieur—je n'avais jamais vu une aussi grande église de ma vie. Il y avait même un sous-sol où nous patinions en patins à roulettes.

Nous portions des jupes et chemin faisant en hiver vers l'église nous nous gelions les jambes qu'une mince paire de bas nous protégeait des grands froids. À -40 degrés nous grelottions interminablement et claquions des dents. Nous étions tellement congelées que nous perdions toute sensation. C'était à peine si nos membres endoloris parvenaient à dégeler pendant la longue cérémonie religieuse. Cependant aux yeux des gens de la ville nous avions l'air de décentes petites filles. Sauver les apparences c'est ce qui importait à Sœur Drolet. Maintenant durant l'hiver je porte des pantalons.

Quant aux Sœurs cela leur était égal parce que de gros habits en étoffe du pays leur couvraient tout le corps et les tenaient à l'abri du froid nordique. À Pâques, une année, chacune d'entre nous avait été allotie d'un imperméable en vinyle aux couleurs pastel. À cette époque de l'année dans le Grand Nord le froid était encore mordant et durant notre trajet à l'église nos imperméables devinrent rigides comme de la tôle. Habituellement nous étions silencieuses, mais maintenant il se faisait entendre un bruissement puissant lorsque nous montions les marches pour nous rendre à l'étage où logeait le chœur de chant.

Nous avions toutes des corvées à faire à l'internat. Mon amie Dora et moi avions été assignées à l'entretien des prélarts et pour cela nous disposions d'une énorme polisseuse à plancher flambant neuve. Énorme à ce point que nous assoyions dessus à tour de rôle pour faire un tour tout en polissant le plancher. Nous tournoyons gaiement dans la pièce lorsque la Sœur surveillante surgit dans le décor. Après une sévère mise en garde, elle est repartie. Nous avons poursuivi notre petit manège comme si de rien n'était. Comme le chat et la souris, nous nous amusions à mettre en colère la surveillante. Nous étions devenues peu à peu aguerries, immunisées contre les remontrances quotidiennes et insouciantes.

Une des activités auxquelles je m'adonnais avec plaisir était le ballon-balai sur glace. Les garçons jouaient au hockey, quant à nous on se consacrait à ce jeu. C'en était un fort excitant et certaines d'entre nous y excellaient. Nous parcourions d'un bord à l'autre la patinoire à grande vitesse, manipulant avec agilité le balai afin de conserver le ballon ou encore le passer à un membre de notre équipe. Nous n'avions guère de règlements. Nous ne portions pas de jambière et encore moins de casque protecteur. Lorsque notre équipe gagnait c'était l'euphorie—perdre c'était autre chose.

Le ballon-balai était un sport bruyant et parfois brutal. J'avais un jeu superbe et par moment on s'échangeait des coups anodins par plaisanterie. Je suscitais l'envie chez certaines et une fois je fus victime d'un odieux croc-en-jambe alors que patinais à toute vitesse. J'ai trébuché tête première contre la bande. J'éprouvais une grande douleur aux bras, aux jambes et au thorax. Je me suis péniblement levée. Je savais qui était la coupable et je me suis dirigée droit sur elle, j'ai brandi mon balai pour la frapper, mais je l'ai manquée de justesse. J'avais développé chez moi des impulsions agressives, un comportement que j'avais hérité des Sœurs.

Sœur Drolet n'avait pas été témoin de notre altercation puisqu'elle ne participait jamais à nos jeux athlétiques qui n'étaient pas non plus de son âge. Revenues dans la salle nous enlevions nos patins, tout en nous réchauffant nous sentions comme des épingles qui nous traversaient le corps. Pendant ce temps nous discutions de notre jeu et des différentes stratégies, ce fut à ce moment que je suis venue presque aux coups avec celle qui m'avait fait perdre pied.

Mon séjour à Breynat Hall fut bien différent de ceux que j'avais connus précédemment dans les pensionnats. Premièrement, devenues adolescentes nous avions beaucoup plus d'animations. Nous pouvions nous joindre au scoutisme, groupement éducatif qui permettait de compléter la formation reçue à l'internat en offrant aux jeunes des activités en plein air. Il y avait aussi les croisées, mouvement religieux issu des expéditions au moyen-âge par les chrétiens coalisés pour délivrer les lieux saints qu'occupaient les musulmans.

Entre nous, nous nous échangions nos vêtements. Nous empruntions même des justaucorps des filles qui pouvaient s'en payer pour aller de pair avec ce que nous portions. Je quêtais des collants d'une fille nommée Alice qui en possédait des colorés. Sœur Drolet voyait à ce que nos vêtements soient toujours bien lisses. Je me souviens que Dora repassait seulement le devant de sa blouse parce qu'elle portait toujours des gilets. Elle avait souvent recours à des expédients, elle violait les règlements en toute impunité.

Sœur Drolet pouvait être gentille parfois, mais elle était d'humeur changeante et il lui arrivait de sauter un plomb. Elle imposait ses quatre volontés comme bon lui semblait. Elle avait une mauvaise langue, un regard haineux et passait parfois des remarques acerbes. Les seules fois que nous n'étions pas sous sa coupe, c'était lorsque nous nous livrions à des jeux sportifs. Devenue adulte, je me demandais si elle était assez subtile pour avoir des discussions franches avec nous, car je ne me rappelle pas qu'elle ait pris le temps de s'asseoir et nous parler. Nous étions gardées dans l'ignorance.

Il y avait plusieurs choses dont j'ignorais quand j'étais jeune parce que les Sœurs ne se donnaient pas la peine d'expliciter les choses. J'ai goûté une fois à la médecine de Sœur Drolet parce que je ne savais pas ce que c'était une couronne de Noël. Je m'étais absentée de l'école parce que je ne me sentais pas bien et elle m'avait sollicité de l'aider à décorer une pièce. Elle m'avait commandé de lui remettre une couronne, mais à douze ans je ne savais pas ce que c'était. Puis elle indiqua du doigt la couronne et me demanda ce que c'était, mais j'en étais ignorante bien que j'en avais vu dans la période des fêtes. Elle était montée sur ses grands chevaux et se lança dans une volubile explication, les mains sur les hanches, sur le point de m'abreuver d'injures. Je demeurais toujours calme.

Enfin excédée, elle hurla : « C'est une couronne! Tu ne sais pas ce que c'est qu'une couronne? » dit-elle, se récriant de rage. Elle était cramoisie.

J'ai été traitée par Sœur Drolet comme si j'étais une idiote. Comment pouvais-je savoir ce que c'était une couronne si on ne me l'avait jamais montré? C'est la façon de faire des Blancs et cela ne fait pas partie du patrimoine autochtone. Ayant été élevée dans des pensionnats, on m'avait inculqué de me taire et de ne jamais poser des questions. C'était la manière des Blancs de m'enseigner, sous un régime de la terreur et de l'intimidation. Pendant toutes ces années passées dans les pensionnats, depuis l'âge de quatre ans, on ne s'était jamais donné la peine de m'enseigner ce que le mot « couronne » signifiait. Toutefois, on s'attendait de moi que je sache tout sur le champ, sans comprendre pourquoi.

J'étais déjà souffrante, et par la suite je suis devenue si triste que je ne voulais plus l'aider. Elle m'avait fendu le cœur ce jour de Noël, fête de réjouissances et de bonne entente, et dès lors je ne voulais plus être à ses côtés. Je ruminais toujours en moi des idées vengeresses, mais je ne les ai jamais mises à exécution. Je crie haro sur la conduite indigne des Religieuses. J'aurais aimé de préférence qu'au lieu de hurler après moi qu'on me dise : « Un jour tu fréquenteras les grands collèges et tu feras quelqu'un de toi ». C'était une existence paisible que j'avais connue au sein de ma famille à Rayrock et à Yellowknife.

Plusieurs pensionnaires qui ont vécu avec moi m'ont parlé de Sœur Drolet. En présence des Pères Oblats, elle changeait complètement de personnalité. Elle devenait tout émoustillée, ce qui avait l'heur de nous faire sourciller. Elle faisait la révérence devant les Pères en inclinant légèrement le buste et soulevant délicatement sa bure brune, laissant voir ses mollets. Elle donnait l'impression de vouloir draguer les Pères, ce qui était un comportement plutôt bizarre pour une Religieuse qui avait fait vœux de chasteté.

Mon amie Christine tenta un jour une évasion spectaculaire. Elle attacha quelques draps ensemble et se laissa glisser de la fenêtre de la salle des toilettes du premier étage. Nous étions toutes surexcitées sachant qu'une d'entre nous s'était enfuie. On envoya la police à sa poursuite et elle fut vite repérée étant donné que Fort Smith n'était qu'un petit village à l'époque, et elle fut renvoyée chez elle à Yellowknife séance tenante. Christine a connu une vie d'itinérante assez mouvementée pour finalement être retrouvée un jour morte dans les rues de Yellowknife. J'aimais Christine parce qu'elle était drôle, ne craignait rien et était aventureuse. Elle était une travailleuse acharnée. J'avais retenu beaucoup plus tard ses services comme femme de ménage. Les murs, les miroirs, les croisées brillaient de propreté après son passage. Elle époussetait les moindres niches. Bien qu'elle vécût dans l'indigence, elle me remettait la menue monnaie qu'elle trouvait pendant qu'elle s'affairait à récurer. En guise de compensation je la gratifiais avantageusement. Comme nous résidions dans la section des grandes à Fort Smith cela signifiait que nous avions quelques privilèges. Nous pouvions aller magasiner les samedis. Quoique je n'avais jamais d'argent, je tenais à les accompagner, la perspective fébrile d'admirer les étalages. Je m'y suis rendue à quelques reprises, mais l'hiver il faisait trop froid et je préférais me consacrer à la lecture.

La ville de Fort Smith était pittoresque, surplombant les rapides de la rivière des Esclaves, une voie fluviale historique empruntée par les premiers voyageurs sur nos terres. Parfois nous nous approchions dangereusement des rapides pour admirer le bouillonnement des flots tumultueux. Nous devions user de prudence parce que dans le passé les eaux avaient fait souvent des victimes. Dans le ciel bleu, des mouettes éparses flottaient comme des corolles blanches. L'hiver nous descendions les pentes avoisinantes en ski ou glissions à l'aide de traînes. Une nuit nous sommes allées camper quelque part dans la futaie. Le changement d'air nous faisait du bien.

La Voie de la Rédemption

D'avoir été extirpée de ma famille pour être placée dans un pensionnat avec des Sœurs, des Pères et des Frères, tous des inconnus, fut la chose la plus horrible qui me soit jamais arrivée. Songez un peu à ce qu'on peut ressentir d'avoir été enlevée à l'âge de quatre ans par des ravisseurs. Ce fut pénible, j'en ai été marquée pour le reste de mes jours. J'avais l'impression d'être séquestrée contre ma volonté.

J'ai été élevée par les Sœurs Grises d'une manière très stricte, contrairement à mes parents qui étaient doux et aimables. J'ai été souvent la cible de punitions corporelles. Être frappé d'une sanction pour un acte répréhensible peut être admissible dans certains cas, mais encore faut-il que l'enfant sache à quoi s'en tenir. J'ai connu une éducation dépourvue d'éléments constructifs, une éducation qui était composée que de critiques, n'approuvant aucunement les bons coups, les succès. Les Sœurs étaient très négatives. Au Pensionnat St-Joseph, les Soeurs exerçaient un contrôle sévère, dominant sur notre conduite qui a laissé sur nous des traces profondes.

Le gouvernement m'a oubliée, moi une petite fille au Pensionnat St-Joseph à Fort Resolution. Je n'existais plus, réduite à un simple numéro, le 25. Les pensionnats faisaient partie d'une plus large organisation visant à l'assimilation progressive des Autochtones. J'avais été condamnée à un emprisonnement à long terme pour le seul crime d'être née Indienne. On faisait peu de cas de moi, abandonnée dans un établissement peu recommandable.

Les pensionnats ont été établis suite à une demande d'aide financière au gouvernement fédéral par le diocèse catholique du District de Mackenzie. L'Église catholique avait l'impression qu'elle répondait non seulement à la Constitution, mais aussi « *à l'obligation chrétienne envers nos Frères Indiens* » qui pouvait être dispensée « *principalement aux enfants* » et « *c'est pourquoi l'éducation devait y jouer un rôle prépondérant* ».[5]   Ainsi donc, le gouvernement est largement responsable des abus que les enfants autochtones ont subis, et pour plusieurs raisons.

Pendant toutes ces années où nous avons été éduquées dans les pensionnats catholiques; cependant, nous avons fait notre apprentissage au contact de Religieuses au comportement négatif et déshonorant. Aucune d'entre nous ne se sentait aimée, l'ironie de la chose c'est que certaines ont semblé s'y plaire, bien que ces dernières n'aient pas échoué là contre leur gré à l'âge de quatre ans. Je suis une rescapée des pensionnats et j'ai vu le côté sombre de ces institutions, et les difficultés qui en résultèrent pour les anciennes pensionnaires à leur retour dans les communautés. Ce n'est que plusieurs années plus tard que je suis parvenue à pardonner à ces personnes responsables de l'administration.

Il faut parler ouvertement de toutes les souffrances que nous avons connues. Un jour, une ancienne pensionnaire m'a raconté qu'elle avait été projetée au bas d'un escalier dans le pensionnat de Fort Providence. Pour comble de malheur, la même chose était survenue à son père des années auparavant et maintenant il était paralytique pour la vie. Il faut guérir de nos souffrances morales, reprendre vie et pour certains d'entre nous qui avons sombré dans l'alcoolisme ou qui luttons avec des dépendances toxiques nous devons redevenir sobres. La voie de la rédemption est un sentier tortueux qu'il faut parcourir à tout prix malgré les obstacles que l'on rencontre en chemin. Mais peut-on recouvrer le bien-être, la force et la santé quand le Gouvernement et les personnes en autorité nous ont bernés dans les pensionnats et à travers la chronologie des traités rompus.

Ce que les érudits et les historiens—il faut se rappeler que l'histoire a été écrite par les Blancs—n'ont pas suffisamment retenus (parfois sous la contrainte de l'Église) c'est la manière au début de la colonie, dont les Français, Champlain en tête, les Anglais, les Hollandais (précédés par les Espagnols plus au Sud) avec le soutien des communautés religieuses traitèrent les Indiens. Tout au cours du 18e siècle, pendant la guerre de la Succession d'Autriche, la Guerre de Sept ans et durant la Révolution américaine, beaucoup d'Autochtones demeurèrent de fidèles alliés des Britanniques. La guerre terminée, frappés d'ostracisme, annihilés, forcés de fuir les territoires américains, et aux termes de nombreux traités (Jay, 1794; Gand, Belgique, 1814), ils obtinrent en guise de remerciements quelques petites compensations. Du camouflet à la vilenie, ces traités, au mépris de leur portée internationale, ne seront nullement respectés, nonobstant, à ce jour les recours souvent futiles à la Cour Suprême du Canada. Et par-delà, enfreindre des principes établis, ne peut qu'accroître le stoïcisme, le courage et la fermeté des Premières Nations dans leurs velléités de résistance face à ces querelles préjudiciables pour faire valoir leurs droits : *Qanengehaga.*

Et les colons blancs étaient toujours insatiables, et avant peu ils submergèrent toutes les régions. Ils prièrent la Grand-mère blanche, la reine Victoria, d'intervenir, mais ce fut en vain . . . Vers le milieu du 19e siècle, les fermiers, les mineurs et les éleveurs blancs, aidés de la gendarmerie à cheval, s'employèrent à chasser les Indiens de leur territoire. Ces derniers, qui avaient détenu la presque totalité des terres des Amériques, ne conservaient plus que 500,000 km carrés. Mais les Blancs, partis de rien, possédaient dorénavant près de 7,000,000 de km carrés.

Les Premières Nations, notre peuple Déné, garderont en mémoire les nombreux traités signés avec les Blancs et ce : *tant que brillera le soleil, que les rivières couleront, et que l'herbe poussera.* Le contenu de ces nombreux traités nous a été transmis oralement par les chefs autochtones. Plus tard, j'ai pris connaissance de ces traités, et je me suis rendue compte que le Gouvernement nous avait trompés et que beaucoup de promesses ne furent jamais tenues; nous ne fûmes jamais indemnisés pour les terres cédées, les annuités auxquelles le Gouvernement s'était engagé ne furent jamais versées. Maintenant de nouveaux traités doivent être négociés, reposant sur la coexistence et échafaudés selon des lois justes et équitables, tout en respectant la nature et l'environnement. Nous tenons à endiguer l'érosion de nos terres et être consultés dans la manière dont elles sont exploitées par l'industrie minière et les projets hydroélectriques.

L'Internat Lapointe

Huitième année, Internat Lapointe Hall, Fort Simpson.
Alice Blondin: dernière rangée, à droite

Mon subséquent séjour en institution fut à l'Internat Lapointe
situé à Fort Simpson sur les rives du fleuve Deh Cho (Mackenzie).
Le Père Henri Jutras en était le supérieur et Sœur Pédeneault la
directrice, une Sœur Grise singulièrement ferme et autoritaire.
Maria H. son assistante, fut la première Blanche nommée à un
poste de direction. Je l'appréciais, mais elle n'a pas fait vieux os.
Elle nous a quittées au cours de l'année scolaire pour des raisons
personnelles.

J'étais heureuse de revoir Dora, ma fidèle compagne au
Pensionnat St-Joseph et à Breynat Hall, et de nouveau à l'Internat

Lapointe. L'endroit était nouveau, cependant la routine quotidienne était la même. J'ai été étonnée d'entendre parler le platcôté-de-chien entre les murs de l'institution. Désormais, il nous était permis de nous exprimer dans notre langue. L'interdiction de parler « Indien » par les autorités avait été levée. L'hiver comme l'été nous nous adonnions aux mêmes activités durant les heures de récréation. Comme à l'accoutumance, nous devions nous conformer aux règlements, bien qu'au cours des ans ils s'étaient assouplis. Durant les heures de classe, nous allions à l'École Thomas Simpson qui englobait les niveaux primaire et secondaire. Les élèves autochtones qui n'étaient pas catholiques étudiaient au Bompas Hall. Il était formellement interdit de s'associer avec les écoliers protestants en dehors des cours.

Après toutes ces années passées dans les pensionnats, j'étais souvent gagnée par la lassitude; alors, je me réfugiais dans la lecture où je pouvais donner libre cours à mon imagination.

J'ai été réprimandée pour avoir fumé et prisé du tabac introduit clandestinement dans l'internat. J'ai été la victime d'admonestation plus souvent qu'à mon tour. Un jour, alors que j'étais en neuvième année, j'ai été surprise en train d'embrasser un copain pour lequel j'avais le béguin. Nous nous étions donnés rendez-vous dans la buanderie. Pour avoir échangé ce baiser innocent comme au cinéma, j'ai été appelée dans le bureau du Père Jutras. Je me suis présentée à son bureau, mais il ne s'y trouvait pas. Il est arrivé quelque temps plus tard et m'a conviée dans une autre pièce qui était sa chambre à coucher. Il s'est assis sur son lit et m'a fait signe de la main de venir le rejoindre. J'ai trouvé cela fort étrange et j'ai eu le sentiment que ce n'était pas tout à fait pertinent. À ce moment-là je me suis levée pour sortir et il a tenté de me retenir par le bras. Je me suis débattue, je l'ai repoussé et réussis à m'enfuir. Je n'ai jamais été puni et l'incident demeura clos.

Plusieurs années plus tard, j'ai lu dans le journal local que le Père Jutras s'était enlevé la vie à Tulita (autrefois Fort Norman). Plusieurs allégations à caractère sexuel pesaient contre lui. Son suicide confirmait bel et bien ses intentions inconvenantes envers moi ce jour-là dans sa chambre à coucher. Heureusement que j'étais dotée d'une force physique supérieure et que j'avais pu ainsi échapper à son emprise. Ce genre de comportement de la part de personnes en autorité est beaucoup trop fréquent et totalement inexcusable.

À une occasion j'avais eu l'idée, quelque peu loufoque, de commander par catalogue Simpson Sears une paire de pantalons noirs et une blouse rouge. C'était un geste plutôt irréfléchi de ma part et je ne croyais pas vraiment que je les recevrais. Quelle ne fut pas ma surprise quelque temps plus tard, alors que j'avais complètement oublié, d'apprendre qu'un colis à mon nom était arrivé à l'internat. Ce qui était ennuyeux c'était que je n'avais pas l'argent pour en défrayer les coûts et j'en ai fait part à Sœur Pédeneault. Aussi étonnant que cela puisse être, le Père Jutras s'était offert de couvrir les frais du colis et j'en avais déduit qu'il l'avait fait de bonté du cœur.

Un jour de printemps je me suis enfuie de l'internat en compagnie de mon amie Lena. Nous étions confinées dans la cour de l'institution en train de nous recréer. Nous étions tellement abattues moralement parlant que Lena et moi avons convenu en grand secret de prendre la clef des champs. Nous avons tout bonnement emprunté la route sans nous hâter ni jeter le moindre regard derrière. Nous avons passé devant l'église et dirigé nos pas vers le café du village.

Nous sommes entrées dans le café et avons adressé la parole à deux personnes qui s'y trouvaient. Elles ont dû certainement s'apercevoir que nous étions des élèves de l'internat parce que tout ce qu'on faisait c'était d'admirer ces nouveaux lieux tout en souriant. Nous ne pouvions rien nous payer, cependant nous nous sommes assises. Puis nous nous sommes mises à songer à notre escapade.

Avant peu, la fille du directeur adjoint est venue nous dire que les policiers étaient à nos trousses. Nous lui avons fait savoir que nous n'avions pas l'intention de retourner à l'internat et que nous voulions rencontrer son père et le directeur adjoint. Elle est retournée à la maison pour faire le message. Elle est revenue pour nous aviser que son père voulait nous rencontrer chez lui. Il ne s'était écoulé qu'une heure durant tout ce temps. Les policiers ne se sont jamais présentés. J'en ai présumé que l'adjoint avait dû appeler le directeur, puis les policiers et le Père Jutras.

Lorsque nous sommes parvenues à la maison de l'adjoint, ce dernier nous a informées que nous allions tous nous rencontrer dans le bureau du directeur en compagnie du Père Jutras. À notre arrivée, nous étions galvanisées et préparées, Lena et moi, à dénoncer Sœur Pédeneault et énoncer les raisons qui nous poussaient à agir de la sorte. Nous n'éprouvions plus aucune crainte et nous voulions une fois pour toutes nous faire entendre. Nous avons affirmé que Sœur Pédeneault nous maltraitait et qu'elle nous poussait à bout lorsqu'elle était de mauvaise humeur. Elle nous harcelait, s'en prenait à nous et qu'elle dépassait la mesure. Pour le moindre petit écart de conduite, elle nous envoyait au bureau du Père Jutras, ce que je redoutais. Je remercie le ciel qu'il n'ait jamais abusé de moi. Pour la première fois, des gens en poste étaient attentifs à nos récriminations, celles de Lena et moi.

Le directeur était assis à son bureau, vis-à-vis nous, en présence de l'adjoint et du Père Jutras. Nous avons longtemps parlé de la manière dont nous étions rudoyées, des brimades et molestations de la part de Sœur Pédeneault. Nous nous sommes expliquées longuement, des sévices qu'elle exerçait sur nous. C'était moi qui tenais le plus souvent le haut du pavé alors que Lena intervenait de temps à autre pour confirmer mes dires. Puis la réunion prit fin. Le Père Jutras nous assura que nous pouvions retourner au dortoir sans aucune crainte et qu'il verrait à ce que Sœur Pédeneault ne sévisse pas. Puisque c'était déjà l'heure du coucher, nous sommes montées au dortoir, à jeun. Du fait que toutes les filles avaient déjà gagné leur lit, nous avons, Lena et moi, fait de même. Peu de temps s'était à peine écoulé et voilà que Sœur Pédeneault nous fit venir à sa chambre à coucher. Elle nous commanda en hurlant de nous mettre à genoux et de demander pardon à Dieu. Pendant tout ce temps, le dortoir tout entier était aux écoutes. J'ai aperçu du coin de l'œil un balai, je me suis levé et je l'ai empoigné. Tout ceci s'était passé si vite que la Sœur n'avait pas eu le temps de réagir. Je tenais le balai comme un bâton de balle, prête à la frapper au besoin. Tout ce que sa mémoire contenait d'imprécations et d'infamies, elle les vomissait sur moi.

J'ai crié à Lena de se sauver. Elle s'est levée d'un bond et a quitté la pièce sans que Sœur Pédeneault intervienne. Je me tenais toujours sur mes gardes prête à me défendre. Je lui ai dit que le Père Jutras nous avait confirmé que nous pouvions retourner au dortoir sans problème. Elle ne me croyait pas, alors j'ai fait un moulinet avec le balai au-dessus de sa tête sans la frapper.

Elle était désemparée, la contraction de son visage trahissait la colère; elle était comme un volcan ambulant sur le point d'entrer en éruption. Puis elle est sortie de sa chambre, soufflant comme un bœuf. Je pouvais entendre le bruit de ses lourds talons résonnant contre le plancher tout le long du couloir, jusqu'à ce qu'il s'amenuisa. J'en ai déduit qu'elle se dirigeait vers le bureau du Père Jutras. Tout le dortoir était maintenant en émoi. J'attendis son retour sur un pied de guerre. Elle revint sans dire un mot et regagna sa chambre.

En fin de compte, cela a valu la peine de rencontrer les directeurs afin de faire valoir nos droits. Sœur Pédeneault s'amenda beaucoup dans les mois subséquents avant notre départ pour la période estivale. Cette année-là j'ai appris à me défendre et à tenir tête à Sœur Pédeneault. Je me sentais raffermie moralement et cela confirmait la justesse de mon geste. En Sœur Pédeneault je vengeais toutes les Religieuses des affronts subis durant toutes ces années dans les pensionnats.

L'Église Catholique et les Autochtones

Les Sœurs de la Charité et les Pères Oblats de Marie Immaculée sont des communautés religieuses affiliées à l'Église catholique. Elles ont été désignées par Dieu pour être des ambassadeurs auprès du Christ (2 Corinthiens 5:20).

Au cours de ma vie j'ai vécu les règnes de six papes et j'ai beaucoup de respect pour eux. Ce sont les Papes Benoît XVI, Jean-Paul II, Jean-Paul I, Paul VI, Jean XXIII et Pie XII. Je n'avais aucune idée en quoi consistait le Saint-Siège à l'époque, quoi qu'il en soit des Missionnaires étaient mandatés aux quatre coins du monde, dont le Grand Nord canadien, afin d'évangéliser les païens et idolâtres, sans tenir compte que nous, Dénés, avions déjà des croyances religieuses et que nous rendions un culte à un être suprême, le Grand-Esprit.

Les communautés religieuses d'obédience catholique suivaient les ordres issus du Vatican de répandre la parole de Dieu par le biais d'une hiérarchisation composée de diocèses, entre autres celui de Mackenzie dans les T.N.O. C'est déplorable que les Sœurs Grises déléguées pour nous «civiliser» n'aient pas été à la hauteur de la tâche. Leur doctrine religieuse était préjudiciable à notre éducation. Nous leur résistions avec une force de volonté qui voulait maîtriser la nôtre.

Peu après que les Blancs eurent débarqué en Amérique, les Indiens signèrent des traités par lesquels ils cédaient des parts de leurs terres. Au cours des siècles, chaque nouveau traité rendait caducs les accords du précédent. Ainsi, les Indiens étaient expulsés de leur territoire et refoulés dans des réserves de plus en plus restreintes.

Le Général Custer, qui périt à la célèbre bataille de Little Bighorn (1876), se montrait impétueux et impitoyable dans les combats contre les Indiens. Toutefois, « Longs-cheveux », surnom que lui donnaient les Indiens, faisait preuve de réflexion et de subtilité lorsqu'il écrivait à leur sujet. Dans son autobiographie, *My Life on the Plains*, il consigna ce qui suit : « *Si j'étais Indien, je préférerais de beaucoup, et cette pensée m'est souvent venue, forger mon propre destin parmi ceux des miens qui sont partisans de la liberté des grandes Prairies, plutôt que de vivre dans les limites d'une réserve et d'y recevoir les bénédictions et les bienfaits de la civilisation, avec son cortège démesuré de vices.* » D'autre part, un jour de 1867 Ours-Blanc, un chef Kiowa, dira : « *Je ne veux pas m'installer dans ces demeures que vous voulez nous bâtir; j'aime parcourir les prairies sauvages, je me sens libre et heureux* ». Neuf ans plus tard, il se suicida dans l'infirmerie d'une prison.

La fièvre de l'or, plus grande que jamais, était aussi forte que le désir de gagner des âmes pour l'amour de Dieu. En 1848, la poussée vers la Californie entraîna des milliers de personnes. Et une décennie plus tard dans l'Ouest canadien avec la découverte d'or dans les bancs de sable du cours inférieur du fleuve Fraser. Cette ruée vers l'or engendra une tragédie imprévue. Quelques années plus tôt, les commerçants avaient amené la petite vérole aux gens des Prairies; à présent le choléra, venu d'Europe et de la côte Est américaine avec les immigrants allemands gagnait l'Ouest, apporté par les gens de la ruée vers l'or. Par bandes entières, les Indiens connurent une mort pénible et effrayante. On estime que la moitié des Cheyennes du haut Arkansas fut anéantie. Le Chef Patte-de-Corbeau se désolait de voir son peuple sombrer dans l'alcoolisme, déterminant ainsi un ensemble de troubles morbides.[6]

Pour les Indiens des Prairies, fournir des peaux de bisons aux Blancs paraissait au départ une bonne affaire. Ils avaient toujours chassé pour leurs propres besoins et ils savaient qu'en tirant davantage de bisons, ils pouvaient obtenir des fusils, du tabac, de l'eau-de-vie et bien d'autres choses. Cette intensification de la chasse par les Indiens commença à entamer le cheptel. Très vite les Blancs prirent à leur compte le plus gros de cette chasse et se mirent à tuer les bisons avec une efficacité qui tenait du carnage. Cette chasse intensive alarma Nuage-Blanc, un chef Sioux : « Partout où les Blancs se sont installés, les bisons ont disparu et les chasseurs rouges vont mourir de faim ».

La solution fondamentale que prônaient l'Église et les autres réformateurs consistait à assimiler les Indiens, à les loger et à les nourrir grâce à des distributions annuelles de vivres, de marchandises et d'argent; il s'agissait aussi de les christianiser, de les familiariser avec l'agriculture moderne et de leur apprendre un métier. À la faveur de telles méthodes, disaient-ils, le problème se résorbera de lui-même, puisqu'il n'existera plus d'Indiens au sens tribal du terme et que les libres bandes vagabondes de jadis seraient neutralisées.

Ces réformateurs, d'après l'historien Robert Mardock, envisageaient pour les Indiens un nouveau mode vie fondé sur des valeurs idéalisées, en honneur au 19e siècle dans la classe moyenne. Ces nouveaux Indiens seraient respectueux de la loi et des dogmes chrétiens; ils deviendraient actifs et indépendants grâce à leur rôle de propriétaires terriens et ils auraient les mêmes droits et devoirs que tous les citoyens.

Quand le Traité no 8, adhésion 4, fut signé le 25 juillet, 1900 à Fort Resolution, T.N.O. entre les Dénés et le Canada, les autorités décisionnelles résidaient à London, en Angleterre. Le Père Dupirer O.M.I. assista comme témoin. Mgr. Grandin et le Père Lacombe s'impliquèrent dans les Traités précédents, no 1 à 7, couvrant la période de 1871 à 1877. Ils représentaient l'Église en qui les Premières Nations avaient confiance. Cependant, le contenu de ces traités ne plaisait pas à tous les chefs indiens et certains soulevèrent des objections.

* * *

Sous la gouverne des communautés religieuses, les cérémonies liturgiques étaient grandioses les jours de fête. Pendant les processions, les ecclésiastiques portaient une toque carrée à trois cornes ornée d'un gland, un surplis blanc couvrant leur soutane noire que ceignait un ceinturon. Ils avançaient lentement en formant une longue rangée, tout en chantant des cantiques. Quant à l'évêque, il était chapeauté d'une haute coiffure triangulaire sou un petit bonnet rond, le zucchetto, et à la main un bâton dont l'extrémité supérieure se recourbait en volute, la crosse épiscopale. (Il y avait chez les Indiens des plaines, les Choctaws, un jeu très populaire, une échauffourée massive, que les commerçants français avaient appelé «la crosse», désignant ainsi les bâtons en forme de raquette à l'aide desquels on maintenait ou projetait une balle en bois ou en daim.)

J'assistais à la messe tous les jours, la plupart du temps c'était une basse messe. Les jours de fête solennels c'était une grand-messe chantée avec diacre et sous-diacre. Chaque fois que le prêtre passait devant le tabernacle, il faisait une génuflexion. Il lisait l'épître et par la suite l'évangile devant toute la communauté des fidèles. Certains jours il y avait l'aspergès et d'autres rituels. Il y avait également une partie de l'office où le prêtre distribuait à toutes les Religieuses et les personnes présentes la communion. Je prenais un malin plaisir à regarder les Sœurs qui s'amenaient pieusement, les mains jointes, à la balustrade pour recevoir l'hostie et revenir dévotement à leur banc respectif, la tête légèrement penchée. Mais dès que la messe était terminée et qu'elles se retrouvaient hors de la chapelle, leur comportement contrastait d'une façon frappante. Le monde extérieur n'avait aucune idée de la manière dont nous étions traités dans l'enceinte des pensionnats. Qu'il me suffise de mentionner le rapport du député conservateur Nicholas Flood Davin sur les pensionnats sous la direction des Sœurs Grises et des « soins maternels » qui y étaient dispensés. Ce n'est pas ce que j'ai connu, tant s'en faut.[7]

J'ai tissé des liens d'amitié avec certaines personnes, cependant mes parents me manquaient

Père Riyou à Fort Resolution
St. Patrick's Roman Catholic Church, Yellowknife

beaucoup et inconsciemment je cherchais quelqu'un qui leur ressemblait. J'allais à la confesse le samedi à la chapelle quand le Père Ryou s'y trouvait. J'avais beaucoup d'affection pour lui. C'était un bon vieux prêtre plein de candeur, aux cheveux blancs, moustachu et à la barbe blanche très longue. On s'agenouillait à ses côtés, le front appuyé contre ses genoux, la tête recourbée pendant qu'on déclarait ses péchés. Alors qu'il nous donnait l'absolution il passait doucement la main sur notre tête et nous infligeait une pénitence se résumant généralement à quelques « Je vous salue Marie ».

J'ignore quels péchés j'ai pu commettre à l'âge de quatre, cinq ou six ans. Quoi qu'il en soit, je trouvais toujours quelque chose à me confesser pour pouvoir m'agenouiller à ses côtés. C'était vraiment un être exceptionnel. Il n'y avait pas de confessionnal dans la chapelle, alors il choisissait un petit endroit à l'écart derrière un paravent. Le Père Ryou incarnait la bonté même. Je ne me souviens d'aucun qui ait été aussi gentil durant toutes mes années de pensionnat. La seule autre personne qui me vient à la mémoire et qui s'en approchait était le Père Leon Mokwa, le supérieur à Breynat

Hall. Il y avait aussi un infime nombre de Sœurs Grises avec lesquelles je me plaisais, celles qui venaient comme remplaçante durant la saison estivale.

Le cycle menstruel était un vrai cauchemar pour bien des jeunes filles. Elles ignoraient pourquoi il se produisait cet écoulement sanguin et, envahies par la honte, la peur ou je ne sais quoi, elles cachaient leurs sous-vêtements tachés de sang sous leur matelas. Les Sœurs ne les avaient jamais préparées à l'ensemble des modifications physiologiques qui se produisent à la puberté. Quel contraste pour une jeune indienne qui était élevée dans son propre milieu lors du passage de l'enfance à l'adolescence.

Le rite de la puberté chez la jeune fille cheyenne était l'occasion d'une cérémonie rituelle; à sa première menstruation, le père annonçait au campement que sa fille était devenue une femme. Si le père était assez riche, il donnait par la suite un cheval. La jeune fille défaisait ses nattes et se baignait; puis des femmes plus âgées peignaient son corps en rouge. La fille devenue femme revêtait alors une robe et s'asseyait près d'un feu. Un tison tiré du feu était saupoudré de glycérie, d'aiguilles de genièvre et de sauge blanche, et la jeune fille se plaçait au-dessus pour que la fumée passe sous sa robe de peau et enveloppe son corps. Elle se retirait ensuite dans une loge spéciale, réservée aux femmes ayant leurs règles. Sa grand-mère veillait sur elle et la conseillait sur la conduite qu'une femme devait adapter. Finalement, la jeune fille se purifiait en passant une deuxième fois dans la fumée avant de regagner son tipi.

Aucune communauté religieuse ou association sportive, éducative et autres ne sont à l'abri de pédophiles, qui choisissent pertinemment une profession où des enfants sont confiés à leurs soins. Un jour j'étais assise sur les genoux d'un éminent ecclésiastique qui était parvenu à me gagner en m'offrant des friandises. Tout en badinant, il glissa insidieusement sa main dans mes parties intimes. J'ai eu immédiatement l'impression que son geste n'était pas convenable et je me suis empressée de descendre. Comme si de rien n'était il continua à rigoler. J'ai été renforcée dans mon sentiment lorsque j'ai su que le même individu s'était livré à des attouchements chez une autre jeune fille. Ceci était doublement immoral venant d'un homme de Dieu. Cette hantise a coexisté avec mes tourments religieux jusqu'à ce jour. J'ai toujours ressenti une haine profonde pour cet ignoble individu que je fuyais autant que possible. J'étais complètement sans défense, je ne savais pas à qui me confier. Sans aller jusqu'à prétendre que les Sœurs Grises fermaient les yeux sur ce genre de comportement déplacé, elles étaient certes coupables d'un manque probant d'insouciance.

Après avoir été instruite dans la foi chrétienne j'ai reçu le baptême, sacrement destiné à laver le péché originel et à faire chrétien celui le reçoit. Je me suis toujours demandé comment un nouveau-né si pur et sans malice, qui ignore le mal pouvait-être à la naissance marqué d'une tache morale, terni. La naissance d'un enfant dans nos mœurs à nous, Indiens, était beaucoup plus auréolée et saine.

Le nouveau-né recevait son nom, chargé de descriptions, d'allusions et même de significations magiques, peu après la naissance, souvent d'un homme-médecine ou d'un parent du père, et tout le village participait aux festivités. On donnait à l'enfant le nom d'un animal ou d'un phénomène physique, un coup de tonner par exemple, qui intervenait le jour de sa naissance, voire d'un haut fait accompli jadis par celui qui lui attribuait son nom. Si la femme conservait, en règle générale, le nom reçu initialement, l'homme quant à lui troquait souvent le sien contre l'évocation de quelque promesse, le souvenir d'une rencontre insolite avec un animal ou tout simplement d'un rêve : Bison-Assi, Nuage-Rouge, Ours-Blanc, Queue-Tachetée, Petit-Corbeau, et ainsi de suite.

Les Sœurs avaient cette inexcusable habitude de changer arbitrairement la date de notre naissance. Ainsi au pensionnat, ma date de naissance fut modifiée du 1 janvier, le Jour de l'an, au 31 décembre. Lorsque ma mère apprit cela plus tard, elle s'exclama : « Nou-nou! Tu es née le Jour de l'an! le Jour de l'an! Pour saluer le premier jour de l'année, les hommes à Cameron Bay tiraient du fusil à minuit. Quand ils furent mis au courant de ta naissance, ils tirèrent une nouvelle salve ». Ma mère communiqua avec le bureau de l'état civil et le Ministère des Affaires Indiennes pour faire rectifier ma date de naissance. Ainsi donc à chaque année lorsqu'on chantait « Bonne Fête », j'avais toujours ignoré qu'il y avait une erreur sur la journée.

Il en avait été de même pour mon frère George. Le jour de sa naissance avait été permuté du mois de mai à celui de janvier. Mais il est effectivement né un jour de mai en 1921.

Observations Communautaires

Nous étions parfaits aux yeux des Agents gouvernementaux et des représentants de l'Église catholique du diocèse de Mackenzie, cependant étions fort mal préparés lorsque nous retrouvions, en quittant le pensionnat, notre famille et l'euphorie et la félicité qui s'ensuivaient et prenions connaissance de la manière dont le monde vivait dans la vraie vie. J'ai appris beaucoup concernant les obligations de la société envers le peuple, notamment l'éducation, le travail, les événements communautaires tels que la Fête du Canada, la course en traîneau tiré par des chiens, et ainsi de suite. Je me suis baladée en automobile avec les amis de Georgina et j'ai emprunté l'autoroute de Mackenzie jusqu'à Mosquito et Rae durant l'été, alors que je suis allée chez moi.

Ces activités m'ont procuré beaucoup de plaisirs, en particulier lorsque j'ai visité mon frère George où j'ai rencontré beaucoup de monde, entre autres les jeunes qui s'adonnaient à des parties de balle. Nous avons écouté sur leur tourne-disque les grands succès de Hank Williams, Kitty Wells, Patsy Cline et la musique rock n' roll.

Les gens qui habitaient la nouvelle section de Yellowknife tenaient des emplois et demeuraient dans de belles demeures blanches ceinturées d'une palissade également blanche. Beaucoup d'autres vivaient dans des maisons plus modestes alors que les Autochtones logeaient dans des cambuses ou des habitacles délabrés pourvus par le Ministère des Affaires indiennes.

Il y avait du travail en abondance à Yellowknife. Beaucoup

de gens travaillaient en équipes de relais dans les mines d'or prenant le bateau ou le transport en commun pour se rendre à la Giant Mine. Ils apportaient leur dîner. Du haut du Pilot's Monument l'on pouvait contempler la ville : les fonctionnaires, les professeurs, les fidèles qui se rendaient à l'église, les travailleurs sur les chantiers routiers, les journaliers, la vétuste Stope Hotel, le Busy Bee Coffee Shop, les commerçants, les débardeurs, et les routiers transportant leur marchandise plus au nord.

J'ai noté qu'en travaillant l'on pouvait gagner de l'argent et la dépenser à souhait—ce n'était pas que je brûlais d'envie de me payer des biens, mais plutôt que j'avais besoin terriblement d'argent. Pour gagner quelques dollars, je repassais pour les Blancs, faisais la lessive ou du gardiennage. Un jour où je m'affairais au repassage chez une dame d'un fonctionnaire blanc à Yellowknife, cette dernière m'a demandé de me rendre au comptoir de la Baie d'Hudson tout près pour acheter un rôti de veau. Parvenue au magasin la marchande me fit savoir qu'il n'y en avait plus et me suggéra des escalopes de porc à la place. Bien intentionnée je suis retournée toute souriante avec mon achat chez ma patronne. En voyant les escalopes de porc, elle entra dans une grande colère et m'abreuva d'injures. Elle m'a dit que j'étais une ganache et que je ne connaissais pas la différence entre le veau et le porc. C'était vraiment blessant ce qu'elle m'avait débité; je suis partie et ne suis jamais retournée travailler pour elle. J'étais crédule et croyais que tout le monde était gentil, mais j'ai vite compris que certaines personnes me traitaient différemment possiblement en considération du fait que j'étais une Autochtone.

En dépit de tout, il y avait des gens bien qui oeuvraient dans différentes fonctions. Les Dénés étaient rompus à la tâche et pouvaient travailler au grand froid. Ils faisaient de leur mieux pour survivre et coexister pacifiquement avec les Blancs à Yellowknife. Plusieurs étudiants résidant à Yellowknife ont reçu une éducation gratuite et ils sont devenus plus tard des professionnels.

Troisième Phénomène

C'est important que la spiritualité et la guidance fassent partie de notre vie, alors j'aimerais vous entretenir d'un troisième phénomène (c'était la troisième fois que j'éprouvais quelque chose de parapsychique). En 1983, pendant que je me trouvais dans un bar-salon à Yellowknife en compagnie de deux amies, une petite dame âgée indigène, se déplaçant avec une canne, se dirigea droit vers nous. Et de but en blanc, elle me lança un regard qui en disait long.

« Vous êtes bien Alice Blondin? » s'enquit-elle.

« Oui, » lui dis-je.

« Il faut que je vous parle sur le champ. Suivez-moi ».

Sans la moindre hésitation, j'ai délaissé mes amies et je suis partie à sa suite dans une chambre d'une auberge de Yellowknife. Nous, les Autochtones, avons beaucoup de respect pour les personnes âgées.

À ce moment-là de ma carrière j'étais responsable des achats relatifs à des milliers de contrats pour les Territoires du Nord-Ouest, ainsi donc savoir écouter était primordial.

Nous étions en face l'une de l'autre, moi assise sur le lit et la dame âgée de quelque quatre-vingt-sept ans sur une chaise, la canne à ses côtés. Nous avons parlé des problèmes collectifs auxquels les Autochtones étaient confrontés dans leur quotidien. Elle m'a fait part des actions qu'il fallait entreprendre et que j'y aurais un rôle important à jouer. Je lui ai demandé ce qu'elle attendait de moi.

« Ça viendra », déclara-t-elle.

Je lui ai expliqué que j'avais un emploi et une famille. À cette époque j'étais mariée à Lou Hill, mon deuxième mari, et que j'avais deux enfants à la maison. Mais elle poursuivit tout simplement en disant : « En temps et lieu ».

Nous avons échangé pendant cinq heures. En fin de compte, je me suis retrouvée à ses pieds, assise à même le plancher. J'ai souvent songé à elle. Elle était tellement cultivée et connaissait même mon nom. Elle m'a confié qu'un problème en particulier serait très ardu à dénouer, pour moi particulièrement. Elle ne voulait pas dire de quoi il s'agissait ou encore me révéler quoi que ce soit. Elle affirma que je ferais face à beaucoup de propos dénégatoires. Pourquoi m'avait-elle choisie? Et seulement moi? Je lui ai demandé son nom, mais elle répliqua en disant que cela importait peu.

Nous avons conféré jusqu'à quatre heures du matin des difficultés en très grand nombre que les Autochtones connaissaient. Je lui ai fait remarquer à plusieurs reprises en cours de conversation qu'il serait bon de prévenir ma famille de la raison de mon absence et leur informer où je me trouvais.

« Non, tout va bien se passer », insista-t-elle. « N'aie pas d'inquiétude ». Tout comme elle me l'avait prédit, je suis retournée chez moi, fait part à mon mari de ce qui était advenu et tout s'est déroulé parfaitement sans encombre.

Le lendemain j'ai appelé à l'auberge, le Yellowknife Inn, et j'ai demandé à la réceptionniste le nom de la personne qui se trouvait dans la chambre en question. Elle m'a répondu que la chambre était inoccupée et ajouta à mon grand étonnement qu'aucune femme âgée indigène ne s'était inscrite. Elle avait disparu sans laisser aucune trace. Je suis catégoriquement consciente de ce fait vécu. J'ai encore en la mémoire tout ce qu'elle m'a dévoilé. Je crois fermement que c'était un ange déguisé en femme.

Ses paroles se sont avérées prophétiques. Alors que j'étais la directrice adjointe de l'Association des Femmes Autochtones des Territoires du Nord-Ouest, notre mandat couvrait plusieurs des problèmes dont nous avions, moi et la dame âgée, soulevé ensemble. Je me suis penchée longuement sur la question des abus à caractère sexuel. Au mois de janvier 1989, j'ai organisé de concert avec plusieurs intervenants une conférence à Yellowknife intitulée : « Les sentiments des communautés en regard des enfants victimes de sévices sexuels ». Ce fut la tâche la plus ardue à laquelle je me suis donnée de toute ma vie.

Les délégués à la conférence affirmèrent qu'il y avait des agressions sexuelles dans les vingt-sept communautés concernées. Sur les ondes radiophoniques, certains s'inscrivirent en faux et mirent en doute immédiatement les allégations des délégués. Il y avait même de jeunes gens qui avaient été victimes de violence sexuelle qui pleuraient dans les cages des escaliers de service. Heureusement qu'il y avait sur les lieux du personnel expérimenté pour leur venir en aide. La conférence fut un sujet de discussion partout à travers le pays. Il y eut des échos, voire aux États-Unis. Le terme « abus » fut substitué par celui de « agression ». Les délégués dressèrent huit recommandations pressantes à mettre en œuvre : programme de sensibilisation, stages de formation, centres de soins, procédures judiciaires, responsabilité des dirigeants politiques, recherche documentaire sur la situation qui prévaut dans le Nord.

L'Association des Femmes Autochtones a fait une étude portant sur la région d'Inuvik et il fut répertorié que 80 pour cent de la population en subissait les contrecoups, démontrant de ce fait que le cycle des agressions ne se limite pas à la personne même. On ne peut pas fermer les yeux sur ces agressions, car elles vont un jour ou l'autre refaire surface et atteindre plus d'enfants à leur tour.

L'Association des Femmes Autochtones a été fortement

incitée à rencontrer la magistrature, les forces de l'ordre, les travailleuses sociales, les infirmières pour mettre sur pied un recueil de procédures en cas d'agression sexuelle. Si un seul enfant est assailli, c'est un cas de trop. Le gouvernement des Territoires du Nord-Ouest a élaboré du matériel éducatif en langues aborigènes, mis à la disposition des membres des différentes communautés des cassettes vidéo afin de les renseigner et agencé des rencontres informelles avec les divers intervenants sociaux.

Troubles de Comportement

Je suis persuadée maintenant que nous ne sommes pas responsables des troubles de comportement hérités lors de notre passage dans les institutions. C'est immensément difficile de considérer que ces traumatismes qui ne furent jamais résolus influent sur les générations à venir. Lorsque ma bonne amie Rosa Bishop apprit que je rédigeais ce livre, elle m'a demandé d'enjoindre le témoignage suivant :

Rosa Bishop m'a affirmé dans une lettre qu'elle avait été frottée sur le corps avec une brosse rude, jusqu'au sang. Elle avait souffert d'une inflammation de la muqueuse vaginale. On lui avait coupé les cheveux à la garçonnière. Il était strictement interdit de parler notre langue. Elle avait été sévèrement réprimandée et frappée au visage à maintes reprises après avoir été surprise en train d'échanger avec des copines en platcôté-de-chien, sa langue maternelle.

Rosa a raconté qu'un jour au réfectoire elle vomit son repas et fut contrainte par la Sœur surveillante de manger sa propre vomissure. Elle fut souvent rouée de coups et fessée avec un manche à balai ou frappée avec une limande.

Ses parents lui firent parvenir ainsi qu'à sa sœur, Marie Adele, des mitaines et des mocassins qu'ils avaient confectionnés avec des peaux. À leur retour du pensionnat, ces derniers leur demandèrent si elles avaient bel et bien reçu, ces présents.

Rosa leur répondit qu'elle n'en avait jamais vu la moindre chose.

Je le répète, nous ne voulons pas porter un jugement en la matière en ce qui a trait aux gestes attribuables aux Sœurs et aux Prêtres, Dieu tranchera dans l'autre royaume. Ce que nous affirmons c'est l'entière, la pure vérité.

Nous n'avons jamais été traitées convenablement, avec douceur—un enfant a besoin d'être entouré d'affection. Au contraire, nous l'avons été comme des rebus, très mal, brutalisées. Aujourd'hui nous infligeons à nos enfants les mêmes sévices. Je pardonne aux Sœurs leurs gestes réprouvés par la société, je renonce d'en tirer vengeance. Je veux bien être indulgente pour les Sœurs qui sont encore de ce monde et je prie Dieu qu'il se montre clément pour celles qui ont trépassé. J'aspire un jour à une société à visage humain.

J'ai connu une vie difficile, mais je mets toute ma confiance en Dieu. Le monde d'aujourd'hui est partagé entre le bien et le mal, mais un jour nous apprendrons à passer de la haine à l'amour, de l'amour à la mansuétude, de la mansuétude au partage et à une certaine ouverture d'esprit. Un jour nous vaincrons l'esprit immonde. «Notre père qui êtes aux cieux...délivrez-nous du mal».

Rosa a élevé ses enfants de la seule manière qu'elle connaissait, c'est-à-dire de l'éducation qu'elle avait elle-même reçue au pensionnat. Je crois que Rosa est sur la bonne voie aujourd'hui et j'espère qu'il en est ainsi pour tous les autres qui ont connu la vie dans les pensionnats.

Nous obéissons tous à la loi de la nature. De jour en jour nous vieillissons, apprenons à faire des choses à notre manière et subsister tant bien que mal. Quand je suis retournée chez moi, dans ma famille, je me suis heurtée à des problèmes de communication et j'ai dû faire appel souvent à Muriel et Joe afin qu'ils interprètent pour moi. Puisque je ne comprenais pas le platcôté-de-chien, mes parents pouvaient difficilement m'expliquer des choses. Ils ne parlaient pas suffisamment l'anglais pour pouvoir me transmettre leurs connaissances, leur mode de vie traditionnelle.

Mais quoi qu'il en soi, j'avais des parents aimants et bienveillants. Ce n'était pas facile de m'apprivoiser. Mes parents étaient très affectueux. Étant donné que je n'avais eu guère d'affection et d'amour de la part des Sœurs durant mes années de pensionnat j'étais peu réceptive. J'espère que je n'aie pas blessé mes parents avec mon comportement indifférent et distant. Le milieu dans les pensionnats en était un aseptisé : nous n'avons jamais appris à devenir émotivement mature, à prendre des responsabilités, à faire les bons choix.

Quand je me suis retrouvée finalement dans le vrai monde en sortant du pensionnat, j'ai pris conscience que certaines personnes pour survivre brigandaient, mentaient, violentaient et répandaient des ragots. J'ai été témoin d'Autochtones tellement soûls qu'ils roulaient par terre. J'ai constaté que plusieurs Autochtones ne pouvaient trouver de l'emploi, sinon comme guides auprès des touristes. J'ai vu dans les églises des croyants richement vêtus, beaucoup mieux que moi; cependant parmi ces pratiquants certains étaient psychologiquement perturbés. Nous étions rabaissés, appartenant à une différente classe de la société. Nous nous sentions inférieurs malgré que nous eûmes des qualités réelles et précieuses. Notre personnalité sociale est une création de la pensée des Blancs.

Mon frère Paul a passé quelques années dans le pensionnat de Fort Smith. Sous l'empire diabolique de l'alcool, il s'est enlevé la vie. Il était un sportif aguerri, aimant la chasse, la pêche et le trappage. Ce n'était pas le meilleur des mondes. Pourtant, ce ter-

Mon frère Paul Blondin

ritoire était le nôtre au départ. Je me suis toujours demandé pourquoi il avait agi de la sorte. Peu après sa naissance son frère jumeau est mort gelé et suite à ce malencontreux évènement mes parents se portèrent garants de Paul, nommé ainsi en l'honneur de mon grand-père. Un climat malsain régnait dans la propre famille de Paul.

Durant son sommeil, la nuit, Paul faisait constamment du bruit. Fort agité, il se tortillait et se balançait dans son lit, recroquevillé sur lui-même. Je crois que la perte de son jumeau et la vie en institution l'avaient déstabilisé. Quelles que soient les raisons qui l'ont amené à commettre l'irréparable, nous avons perdu un être cher, un frère et un fils.

Des personnes qui se suicident, les uns se font violence; les autres, au contraire cèdent à elles-mêmes. Qu'en était-il de Paul? Dépressif, mélancolique, le mal de vivre? J'aime me souvenir des bons côtés qui entouraient sa vie. Il adorait le plein air, la nature. À peine âgé de dix ans, il faisait en motoneige le tour des pièges qu'il avait posés. C'est difficile à admettre, mais mon frère fait maintenant partie des analyses, des rapports, des théories statistiques : un autre jeune autochtone s'étant enlevé la vie dans des conditions troublantes.

Plusieurs incidents réprimés inconsciemment durant les jeunes années passées dans les pensionnats émergent à l'âge adulte, comme ce fut le cas pour Rosa Bishop. Plusieurs adultes ne comprennent pas entièrement pourquoi ils posent parfois des gestes soudains qu'ils n'ont pas pu maîtriser, qu'ils ont des sautes d'humeur, et ignorent comment les contenir, tout particulièrement ceux qui ont été victimes de violences sexuelles. Nombre de parents ayant des enfants qui sont allés dans les pensionnats n'étaient pas au courant que ces derniers étaient violentés et vivaient dans la crainte. En somme, plusieurs élèves parmi ceux qui ont fréquenté Grollier Hall à Inuvik ont fait part de leurs doléances et présenté des griefs.

Je me suis souvent interrogée notamment si l'on pouvait se guérir des traumatismes éprouvés pendant les séjours où nous avons vécu dans les pensionnats. Des fruits de mes lectures, deux livres en particulier me redonnèrent espoir. Lorsque je me trouvais à Rayrock Mine, il y avait un film à l'affiche destiné aux adultes intitulé *The Three Faces of Eve*. J'ai pu enfin repérer le livre dont le film avait été tiré : *I'm Eve* par Christine Sizemore. Cette dernière qui était en fait la véritable *Eve*, avait en effet développé vingt-sept personnalités découlant des agressions qu'elle avait subies dans la vie. Elle souffrait dans le jargon des psychologues de « troubles de dissociation de la personnalité », comportement pathologique présentant un caractère d'automatisme. J'étais curieuse de savoir si l'on pouvait, après avoir suivi une thérapie, réintégrer sa personnalité normale.

Sybil était l'autre livre en question. Cette dernière faisait état de seize personnalités distinctes, héritées au contact d'une mère souffrant de troubles mentaux. Suite à un traitement déterminé par un psychologue elle retrouva une vie normale. Ces deux livres m'ont fait comprendre combien l'être humain est complexe. Grâce à l'action thérapeutique sur l'organisme des agents médicamenteux et les méthodes de conditionnement et de déconditionnement utilisées par les psychothérapeutes dans le traitement de certains troubles de comportement, il est possible de soigner des gens. Malheureusement, tous ne peuvent être sauvés ou difficilement délivrés d'un mal psychologique; je pense en particulier à la toxicomanie, la pédophilie.

Richard Hardy a écrit une lettre ouverte destinée à l'Église catholique dans un journal du Grand Nord en réponse aux soi-disant excuses que le gouvernement avait présentées en regard des

afflictions essuyées par les jeunes autochtones dans les pensionnats—l'Église catholique, soucieuse de sa grandeur et de sa force,
a tardé à présenter les siennes. Elle ne se soucie guère des censeurs,
des critiques. Il raconta, dis-je, dans sa lettre, la terreur et l'effroi
qu'ils ont connu, lui et ses compagnons. Ils ont été assaillis par
Edward Williams que l'Église avait redirigé au Nord après avoir
commis des agressions sexuelles plus au Sud. Richard et ses compagnons étaient contraints de courir nus dans le dortoir pendant
des heures et des heures sous les yeux pervers de Williams qui assistaient à cette scène érotique pour sa satisfaction personnelle. Les
perversions du prédateur étaient bien connues de l'Église, il avait
été sanctionné dans deux diocèses, et malgré tout elle ferma les
yeux. Edward William fut finalement arrêté à Ottawa.[8]

Nous, les pensionnaires, étions comme de jeunes soldats
qui allaient s'entraîner. Nos baraques étaient les dortoirs des pensionnats. Nous avons fait face à la peur primale et nous nous
sommes exercés à la combattre. Cela a demandé du courage. Nous
avons mené un combat en nous-mêmes, aspirant à la liberté, mais
nous ne pouvions l'obtenir en tant qu'enfants. Nous avons tout
simplement vieilli et d'une façon quelconque nous subsistons avec
nos propres moyens.

Plusieurs d'entre nous ont été marqués par une vie
dépouillée d'amour et de ce fait des répercussions négatives se sont
transmises d'une génération à l'autre. Certains ont compensé à ce
manque d'amour de différentes manières, en ayant recours à la violence qui avait été leur quotidien, à un abus excessif de l'alcool pour
noyer la douleur du passé, d'autres ont enfreint la loi et furent incar-
cérés, retrouvant le refuge de l'institution. (Les Autochtones, qui
ne forment que 4 p.c. de la population, représentent 20 p.c. des
détenus). Plusieurs sont devenus totalement dépendants, attendant
toujours qu'on leur dise quoi faire. La majorité d'entre nous ne
savaient comment solliciter un emploi, cuisiner, élever des enfants.

Nous n'avions pas à notre disposition les moyens pour briser le cycle infernal des agressions subies, moi de même j'étais de ceux-là. Encore de nos jours, j'ai un sommeil troublé. La nuit je grince des dents, au point où ma dentition en est affectée. Je ne peux pas me défaire de ces mauvaises habitudes, c'est plus fort que moi.

Bien que je sois sobre maintenant, ce n'est qu'à force de courage et d'ardeur que je suis parvenue à surmonter le mal acquis dans les pensionnats et d'aller de l'avant en dépit de tout. Une certaine tempérance morale est nécessaire pour que certains talents se développent. J'ai retrouvé la paix et la bonne mesure dans les cercles de guérison auxquels nous, les Autochtones, participons. Je retrouve mon identité culturelle quand je m'exécute dans la danse du tambour.

Agressions Sexuelles

Plusieurs d'entre nous ont été molestés. Nombre d'enfants ont été sodomisés et violés par ceux-là mêmes auxquels ils avaient été confiés. Des pédophiles et des prédateurs détenaient des postes de surveillants dans les pensionnats. De pauvres enfants ont enduré un calvaire, incapables d'en parler. Ils vivaient dans la peur, cherchant à passer inaperçus.

Les victimes ont souffert de déviations mentales, infligées par des prédateurs pervers et des psychopathes désaxés. Pour briser le cycle des abus, les victimes ainsi que les délinquants sexuels doivent suivre des thérapies. Les délinquants sexuels savaient parfaitement bien que les autorités en place ne seraient pas convaincues de la version des victimes. Ces dernières vivaient dans la peur et étaient tenues au silence, par crainte de représailles si jamais elles osaient parler. Mais un jour ou l'autre, les victimes, devenues des adultes parviennent à se confier et les délinquants sont démasqués. Gagnées par les émotions, les victimes doivent suivre une thérapie afin de refaire leur vie.

Les victimes d'agression sexuelle passent souvent par toute une gamme d'émotions, parfois même contradictoire. Elles peuvent avoir peur, avoir honte, se sentir coupables, en colère, tristes, trahies, déçues ou humiliées. Plusieurs personnes ayant subi des agressions sexuelles éprouvent parfois un sentiment de culpabilité. Les victimes d'agression ne sont aucunement responsables des gestes qui ont été commis à leur égard; seule la personne qui a commis l'agression l'est. La personne qui commet une agression sexuelle est dans la majorité des cas une personne de l'entourage.

Au cours de mon travail, j'ai rencontré plusieurs personnes agressées sexuellement et elles m'ont fait part de leur vécu. J'aimerais vous en présenter un résumé de certains. Le premier cas est de nature incestueuse. Le père agressa sexuellement toutes ses filles, dont celle qui est en cause. Plusieurs années se sont écoulées, mais elle souffre encore dans son âme. Elle ne peut pas oublier ses sœurs violentées nuit après nuit. Le deuxième implique un ecclésiastique en autorité qui a fait des attouchements sur une jeune pensionnaire. Le troisième concerne un jeune garçon qui a été molesté par son agresseur, un surveillant dans un pensionnat, alors qu'il prenait son bain. Je leur ai conseillé de rechercher une assistance socio-psychologique et d'en informer les forces de l'ordre. Aucune des victimes n'a entrepris une thérapie, mais malgré tout elles sont parvenues à surmonter leurs blessures morales à grand-peine.

Les délinquants sexuels cèdent à leurs impulsions morbides et se déploient à travers le pays à la recherche de nouvelles proies, perpétuant ainsi le cycle des agressions. Les agresseurs ont souvent recours à la force, à la contrainte, ou à la menace. Ces derniers ont besoin de plusieurs années de psychothérapie avant de reconnaître leur faute et se reprendre en main. Pareillement, les victimes doivent suivre des traitements thérapeutiques particuliers si elles veulent retrouver le salut. Le gouvernement doit créer des centres pour venir en aide aux personnes victimes d'agression.

Il y a un besoin urgent de thérapeutes, de travailleuses sociales aborigènes dans toutes les communautés nordiques. Les soigneurs selon la tradition autochtone doivent accroître leur assistance dans les communautés éloignées qui sont grandement démunies, avec l'aide financière gouvernementale pour couvrir les frais de déplacement et autres. Beaucoup de communautés isolées ne sont pas desservies, mais grâce à l'internet, pour ceux qui ont accès à un ordinateur, plus de soins pourront être apportés. Les dirigeants locaux devraient favoriser les jeunes à accéder à de hautes études et les soutenir dans leurs projets. Ils devraient également les orienter vers des carrières là où les besoins se font les plus criants.

Les délits sexuels ont toujours été gardés dans le plus grand secret. Ce n'est que dans les années 80 que le scandale éclata au grand jour, lorsqu'enfin certains pensionnaires se sont élevés contre ce mur de silence malsain. Pensons un peu au nombre d'enfants qui ont été affligés. En une seule année, dans le pensionnat de Fort Resolution, il y avait environ cent cinquante enfants : de jeunes filles et garçons en nombre plus ou moins égal. À travers le Canada, il pouvait être au-delà de 250 000 s'étendant sur une période approximativement de cent vingt ans.

Le gouvernement fédéral doit apporter absolument une aide financière enfin de traiter les Autochtones pour au moins les vingt prochaines années. Il y a un grand besoin de centres de soins à travers le Canada pour venir en aide aux victimes de sévices sexuels. Les cercles de guérison des Premières Nations semblent porter fruit, là où la victime et l'agresseur et leur famille échangent dans une situation contrôlée. Ce genre de discussion permet de mieux saisir les vrais problèmes. Les victimes racontent leur histoire, parlent des maux qu'elles ont soufferts et les agresseurs demandent pardon en vue d'une réconciliation qui est accordée sur un fond de confiance, d'honnêteté et de compréhension.

Les peuples des Premières Nations ont besoin d'endroits à travers le Canada pour se rassembler et prier. Il nous faut des centres de soins dans notre propre pays, et des maîtres d'œuvre afin de créer des lieux appropriés pour notre bien-être. Les procédures judiciaires ne répondent pas à toutes les nécessités en vue de la guérison et le Processus récursif de dénouement des conflits du ministère des Affaires autochtones du Canada doit être pourvu de gens expérimentés pour venir en aide aux étudiants afin qu'ils puissent percevoir leur compensation et du personnel compétent pour épauler les victimes de sorte qu'elles retrouvent la voie de la guérison. Des Autochtones qui comprennent ce que ressentent les candidats, devraient faire de ces services, afin d'assister spécifiquement ceux qui n'ont pas une bonne vue, sont handicapés, ou encore vivent dans des villages éloignés. Les bureaux administratifs du Processus récursif du dénouement des conflits (PRDC) sont situés à Ottawa et Vancouver. Ils sont en possession des listes de noms des anciens élèves des pensionnats et peuvent épauler ces derniers en ce qui a trait aux poursuites judiciaires.

La voie de la guérison est parsemée d'embûches. Le gouvernement doit établir de nombreux centres pour les toxicomanes dans toutes les provinces et les territoires. Présentement, dans la seule ville d'Ottawa, il y a entre 3 000 et 5 000 individus qui font usage des stupéfiants.[9] Les mesures draconiennes des policiers afin de mettre un frein au commerce de la drogue n'ont eu pour effet que de pousser les toxicomanes à avoir recours, en désespoir de cause, à des crimes violents de tout genre pour satisfaire leur dépendance. Dans les quartiers malfamés d'Ottawa, on peut apercevoir partout des aiguilles à la traîne. Ce qui amplifie les risques de répandre le virus associé au sida, à l'hépatite C et autres affections.

Le ministère des Affaires autochtones a institué des programmes pour venir en aide aux anciens pensionnaires, avec la collaboration de personnel qualifié choisi parmi la communauté autochtone. Mais il faut faire encore plus. Il n'y a pas suffisamment de ressources en santé mentale, reflet d'une fracture sociale. Le gouvernement et les tribunaux doivent empêcher et enrégimenter le trafic des drogues—surtout la marijuana et le haschisch, mais aussi l'alcool, les barbituriques, les amphétamines, les hallucinogènes (LSD, psilocybine et mescaline) et les solvants volatils. Le gouvernement doit adopter une ligne de conduite de nature à décourager l'utilisation des drogues et l'imposition de sanctions proportionnelles au crime pour les revendeurs de drogue et préconiser une aide et un traitement plutôt qu'une répression envers les opiomanes et établir une stratégie spécifiquement orientée sur les dangers associés à chaque drogue. Sur le plan financier, le commerce de la drogue est devenu l'entreprise la plus attrayante et la plus corruptrice des activités criminelles à travers le monde.

Les agents voués au PRDC ne secondent que les victimes de violence sexuelle grave en vue d'établir des procédures légales. Plusieurs anciens pensionnaires n'ont pas pris l'initiative de remplir le formulaire de quarante pages afin de créer un dossier. Les nouveaux formulaires sont plus appropriés, toutefois ils ne couvent nettement pas toute une vie passée dans les pensionnats.

Racisme

À travers mes déplacements au Canada, il m'est arrivé à quelques reprises d'être interpellée d'une manière péjorative afin de me déprécier, me qualifiant de « squoua » —» un cliché sans doute hérité des films du Far West. Je leur répondais tout simplement et bien poliment que j'étais une Autochtone. (Étymologiquement, le mot tire son origine d'un terme cri—contraction de cristinau. Dans cette langue le mot pour femme se dit « *esquoua* » Le 'e' initial n'est pas prononcé).

Alors que je me trouvais dans un musée à Winnipeg j'ai surpris un Blanc, soigneusement habillé d'un complet et d'un pardessus noirs, dire à un groupe qui le suivait que les Indiens et les Esquimaux étaient toujours soûls comme des bourriques.

« Pardon, monsieur » dis-je, d'une voix haute. « Je m'appelle Alice, et je suis d'origine indienne, une Dénée. Je m'inscris en faux au sujet de votre affirmation de tout à l'heure concernant les habitants du Grand Nord, les Amérindiens et les Inuits. J'y ai vécu toute ma vie. Certes, il y a des dipsomanes comme partout ailleurs, mais la très grande majorité des gens du Nord sont sobres ».

Je me suis tournée vers le groupe et j'ai expliqué le fond de ma pensée. Je leur ai dit que les Dénés trimaient dur toute leur vie afin de survivre dans le Grand Nord canadien. Le groupe me fit part de leurs remerciements et l'homme en question s'excusa pour ses paroles inconvenantes. Je n'accepte plus qu'on nous traite d'une manière diffamatoire. J'essaie en autant que possible d'agir avec beaucoup de diplomatie. Je suis fière d'être une Indienne, sans rodomontade et vantardise.

Le racisme est une forme particulièrement virulente de l'ethnocentrisme, alimenté par la croyance en la supériorité de son propre groupe ethnique. Il se fonde sur la prétention que les traits biologiques et génétiques, transmis au sein d'un groupe humain, soient cause de la présence ou de l'absence de certaines caractéristiques sociales, culturelles et psychologiques qui lui sont propres.

Un préjugé racial désigne habituellement un jugement négatif non confirmé porté à priori sur un groupe en raison de leur origine ethnique. Un préjugé entraîne souvent un comportement discriminatoire.

Outre le racisme culturel—la supériorité d'une culture sur celle d'un autre groupe ethnique—il existe au Canada un certain racisme institutionnel : le fonctionnement des structures sociales, économiques et politiques au détriment d'un groupe spécifique en raison des différences génétiques. Je me dois d'ajouter toutefois qu'au cours des trente dernières années, les gouvernements provinciaux et fédéral ont légiféré afin de combattre le racisme sous toutes ses facettes. À ce titre, je signale la création de la Commission des droits de la personne.

Dénuée d'amour ou d'inspiration, la raison même (ou du moins l'officielle—l'assimilation dans la société des Blancs) pour laquelle nous avons été envoyés dans les pensionnats fut un échec. Nous avons été accablés spirituellement par trop de discipline. Nous avions l'air d'enfants bien élevés à l'école, mais nous en ressortions profondément blessés. Lorsque nous retournions à la maison, les emplois étaient introuvables pour les Autochtones et nous n'avions pas le cœur à l'ouvrage. Nous n'avions pas été éduqués pour devenir des avocats ou encore des professionnels. Les collèges et les universités nous étaient fermés, n'ayant pas fait partie de notre formation pédagogique, nous n'avions jamais été introduits à la recherche d'une carrière. On ne nous a jamais inculqué la valeur de l'argent, encore moins à faire des gains; on ne nous a jamais transmis la manière d'administrer le peu d'argent que l'on possédait et comment le dépenser avec frugalité, en prévoyance de toutes les dépenses de la vie courante.

Entre-temps, les Autochtones du Nord chassèrent et piégèrent pour gagner leur vie, pour survivre tout en s'adonnant à la traite des fourrures. Ils étaient toujours actifs. Maintenant, de plus en plus d'Autochtones s'instruisent dans les hautes écoles et ont accès à de meilleurs emplois. D'autres reçoivent une formation dans l'entreprise pendant que les postes et les services se multiplient dans le Nord.

Les Autochtones sont conscients de leurs problèmes et travaillent de pair avec le gouvernement pour les résoudre, bien que les fluctuations, remaniements et vacillements au sein de la politique canadienne rendent parfois la tâche difficile. Les Premières Nations tendent à l'autodétermination, à établir leur statut politique. Beaucoup de procédures judiciaires en revendication territoriale sont en négociation. Des traités ont été rompus unilatéralement. On ne nous a pas dit toute la vérité, ce qui est une façon de mentir. Les promesses convenues lors des Traités N° 8 et N° 11 ne furent jamais tenues. Pendant soixante-dix ans, nous n'avons pas perçu de fonds, aucun article de base ou matières premières ne nous ont été livrés tels que promis, aucun appareil de ferme, animal ou fournitures agricoles ne nous ont été alloués. Aucune exonération de taxes. Nous avons été floués. Le gouvernement s'est approprié de nos terres et en a tiré des bénéfices. Nous en avons assez des lacunes de la législation, des droits bafoués, de la Loi sur les Indiens désuète et aux relents de colonialisme.

J'espère que les compensations financières pour tous les mauvais traitements subis les pensionnats seront un pas dans la bonne direction afin d'embellir nos vies. Ces indemnités en dédommagement ne dureront pas éternellement, donc nous devons nous prendre en charge. Nous pouvons pardonner, toutefois nous ne devons jamais oublier.

Comportement Social et la Famille

Quand enfin je suis revenue chez moi après un long séjour dans les pensionnats, j'avais perdu confiance. J'étais trop timide pour échanger avec les autres, même en anglais. Cependant, j'ai vite compris que mes parents étaient très différents des Sœurs Grises. Ils avaient une certaine maturité d'esprit et des états émotionnels pondérés. La maison débordait d'amour et de gaieté. Nous n'étions pas riches, mais mes parents se dépensaient pour nous tous sans relâche. Nous prenions exemple sur eux et ils entretenaient de bonnes relations avec les gens de la communauté. J'ai retrouvé le courage, la joie de vivre et je me sentis libre de m'exprimer. Mes frères et sœurs étaient des êtres foncièrement honnêtes et intègres. J'ai fait l'apprentissage des valeurs traditionnelles et je me suis familiarisée avec les lois qui gouvernent notre milieu.

En toute franchise, je ne me souviens pas d'avoir vu mes parents contrariés. Ils formaient un couple heureux et si nous errions de quelque manière, ils savaient comment nous ramener dans le droit chemin sans être vexés. Cela relève du mode de vie des Dénés et combien différent de l'atmosphère accablant qui régnait dans les pensionnats. Au contact de ma famille, j'ai approfondi la spiritualité et j'ai fait l'apprentissage du respect, de la coopération, de l'humour, du partage, de la souplesse, de la soumission et de la compassion. J'ai été très choyée d'avoir de si bons parents.

Malgré tout, j'étais lasse, gagnée par l'anxiété. Inapte et impuissante à m'exprimer dans ma langue maternelle. Je parvenais difficilement à tisser des liens avec d'autres personnes. C'était comme regarder à l'intérieur d'une maison par une fenêtre. Malgré cet inconvénient, j'en retirais une certaine satisfaction, car mes parents étaient très compréhensifs et d'une grande patience. J'avais l'impression de me sentir aimée.

Je goûtais une paix profonde. J'avais retrouvé la sérénité avec moi-même et avec les autres. Il faut savoir se réconcilier avec la vie. Nous avons tous des choix à faire, et nous devons évoluer dans le bon sens et cela concerne tous celles et ceux qui ont fréquenté dans le passé les pensionnats. Il n'en tient qu'à nous, il faut prendre les rênes de notre vie. Bien que nos parents n'eussent pas été profondément lettrés, ils étaient fondamentalement d'excellents maîtres et foncièrement bons.

Les Dirigeants Autochtones

À partir de 1830, les Églises de confessions catholiques et anglicanes surtout commencèrent à créer des pensionnats à l'intention des Indiens. Constitués de missionnaires comme personnel enseignant, ces pensionnats étaient considérés comme l'instrument idéal pour assurer l'éducation des Indiens puisqu'ils soustrayaient les enfants aux influences du mode de vie tradionnel. Ils aidaient à renforcer la politique prédominante d'assimilation des Indiens à la société des Blancs.

Beaucoup de parents indiens jugèrent ces pensionnats comme un mal nécessaire à ses débuts. Ils considéraient le Christianisme comme une force nouvelle et positive dans leur existence— toutefois nombre d'Indiens adoptèrent le Christianisme uniquement pour la forme. Plusieurs continuèrent à pratiquer la religion de la hutte mise de l'avant par Handsome Lake, d'autres poursuivent leur croyance en une vision animiste du monde—et ils admettaient en partie l'apport et la compétence des Blancs. Mais il s'avéra que ces pensionnats engendrèrent plus de mal que de bien. En premier lieu, les liens qui unissaient les enfants à leur foyer et à leur famille étaient rompus. La plupart des jeunes pensionnaires autochtones trouvèrent dur et cruel le régime de vie en vigueur dans les pensionnats; toute forme de désobéissance entraînait une punition corporelle pour un enfant et la majorité des Religieuses et des Religieux défendaient l'utilisation des langues aborigènes et les incitaient à renier leur origine. Le peu d'emplois disponibles à la sortie des pensionnats accentué par la formation inadéquate reçue généra un phénomène de dépendance qui se traduisit par un accroissement de la pauvreté dans la plupart des communautés.

J'ai beaucoup de respect pour le travail accompli par la Fondation aborigène pour le rétablissement (FAR) qui a mené à bien plusieurs projets partout au Canada à la faveur d'une assistance financière du gouvernement fédéral. Elle est venue en aide à 90 000 personnes à travers des cercles de guérison, ateliers, centres de soins, retraites et programmes holistiques afin de traiter l'alcoolisme et autres dépendances, incestes, agressions sexuelles, suicides et divers problèmes dus à l'assimilation. Environ 50 p.c. des subsides octroyés concourent à couvrir les salaires du personnel et les frais administratifs. Un grand nombre de gens nécessitant des soins n'ont pas encore été rejoints. Le gouvernement fédéral devrait continuer de supporter financièrement la FAR et son mandat. Une paix véritable s'établira entre les nations dans le respect mutuel en satisfaisant les besoins des peuples autochtones.

Selon les psychologues, il faut suivre pendant plusieurs années des thérapies, voire durant une vie entière, pour se rétablir et réintégrer la société. Nombre d'anciens élèves des pensionnats sont d'avis que l'aide apportée n'est pas suffisante et se sentent délaissés, bien que beaucoup de leurs enfants aient reçu une éducation supérieure et occupent des emplois dans le Nord.

Nous avons besoin de dirigeants qualifiés et chevronnés qui parlent en notre nom. En ce sens, nous devons faire confiance en Phil Fontaine, un être ingénieux et talentueux, qui est en ce moment le Chef suprême de l'Assemblée des Premières Nations et qui fut lui-même un ancien pensionnaire. Le récent accord avec le gouvernement fédéral sur la question concernant les pensionnats est un pas dans la bonne direction. L'aspect financier qui en découle est un atout précieux. Des centres de soins ont été établis afin de venir en aide à ceux qui ont subi des sévices et souffert des traumatismes suite à leur séjour dans les pensionnats.

À partir des années 70, quelques jeunes Indiens firent des efforts concrets pour donner un sens nouveau à leurs traditions. On assista à la création de puissants conseils qui préconisaient avec vigueur l'instauration d'un gouvernement Indien, le développement économique des territoires des réserves, de meilleures possibilités d'accès aux études, la survivance culturelle et linguistique et un règlement équitable des revendications territoriales qui opposaient depuis longtemps les Indiens aux gouvernements provinciaux et fédéral. La Fraternité nationale des Indiens à la même époque s'activait beaucoup avec les dirigeants Walter Dieter, George Manuel et Noel Starblanket. En 1980, l'Assemblée des Premières Nations est fondée par des Chefs qui représentaient une majorité des bandes lors d'une rencontre à Ottawa. Les Chefs déclarèrent que cette Assemblée serait désormais la seule et unique voix des premiers habitants.

Le Premier Ministre Stephen Harper, en 2008, a présenté des excuses en Chambre des Communes au nom du gouvernement canadien. L'année suivante, Phil Fontaine, notre Chef national s'est rendu au Vatican pour rencontre le Pape Benoît XVI afin de demander réparation des offenses dont furent victimes les anciens pensionnaires. Lorsque j'ai appris la nouvelle lors d'un bulletin télévisé, j'ai été submergée par les émotions pendant que de douloureux souvenirs des Sœurs Grises, mes tortionnaires, me sont remontés à la mémoire.

Un mois plus tard, suivant la visite de M. Fontaine, Mgr Murray Chatlain, évêque du diocèse de Mackenzie-Fort Smith a fait des excuses au nom de l'Église. Les excuses rappellent les fautes, plus souvent qu'elles ne les atténuent.

Le regain de vie de certaines facettes de la culture traditionnelle, qui a tendance à être plus profondément ancrée chez

ceux qui continuent d'utiliser la langue autochtone, particulièrement les arts et l'artisanat, mais aussi les danses et les cérémonies
rituelles, de même qu'une prise de conscience politique accrue per-
mettent le renforcement d'un processus d'identification et de
respect de soi entamé depuis trois siècles d'érosion culturelle.

La Loi sur les Indiens

Au début de la colonie, les contacts des Français avec les Indiens engendrent commerce, escarmouches et œuvre missionnaire. La politique officielle des Français vise un double objectif : évangéliser les Indiens et les assimiler. À la fin du 17ᵉ siècle, les missionnaires et les fonctionnaires gouvernementaux doivent reconnaître l'échec de leur politique d'assimilation sur une grande échelle. À la suite de la Guerre de Sept-ans, avec la disparition de la France, les anciens alliés Indiens sont confrontés à la menace d'une expansion des Anglais. Les Indiens manifestent leur résistance par une série de soulèvements inspirés par le chef Indien Pontiac.

Les autorités impériales réagissent en publiant la Proclamation de 1763 qui garantit aux Indiens que leurs territoires au-delà des colonies existantes n'auront à souffrir d'aucune intervention extérieure. Ce principe constitue la base du futur système des traités.

Le Canada achète les territoires de la Cie de la Baie d'Hudson en 1870 et il entame par la suite des pourparlers avec les tribus du Nord-Ouest pour se garantir la cession de certaines de leurs terres. Les Traités Numérotés, dont le 1er fut signé en 1871 et le 11ᵉ et dernier en 1921, comportaient généralement les dispositions suivantes : la superficie des réserves proportionnelle à la population, une rente annuelle en espèces versée à chaque personne, une aide à l'agriculture, en matière d'éducation et la création d'écoles. Rien n'allait être modifié concernant la chasse et la pêche, bien que susceptibles à une réglementation. L'interprétation de ces dispositions a suscité certaines querelles, ce qui n'est guère étonnant du fait que les négociations étaient menées avec l'aide d'interprètes et qu'en grande partie l'ensemble du compte rendu des discussions n'apparaissait pas dans les traités eux-mêmes.

En 1868, des hommes sont venus à nous et ont apporté des papiers. Nous ne savions pas lire, et ils ne nous ont pas dit véritablement ce qu'il y avait de dedans... Quand je suis arrivé à Washington, le 'grand-père' m'a expliqué que les interprètes m'avaient trompé— Nuage-Rouge.

On consolida la législation indienne en 1876 à l'intérieur d'un seul décret : la Loi sur les Indiens. Cette législation, tirant sa source de textes législatifs précédant la Confédération, définit légalement les Indiens comme ceux qui en possèdent le statut. Deux groupes possèdent ce statut : ceux qui sont assujettis à un traité— entente entre la Couronne et un groupe déterminé. Ce dernier renonce à ses droits sur un territoire en retour d'avantages spécifiques—et ceux qui, inscrits, vivent à l'extérieur de régions assujetties à un traité. Sauf si des dispositions particulières d'un traité sont à l'effet contraire, les Indiens assujettis à un traité et ceux qui sont inscrits, mais non-assujettis bénéficiant les mêmes privilèges et avantages du gouvernement fédéral. Au pays, le nombre d'Indiens pourvus d'un statut s'élève à 325 000 environ (1981).

La loi actuelle marque une amélioration par rapport aux précédentes, mais les Indiens font encore l'objet d'une administration discrétionnaire injustifiée de la part des institutions non indiennes. Dans une déclaration faite en 1969 et portant sur la politique à l'égard des Indiens, le gouvernement fédéral propose de mettre un terme au statut d'Indien et d'abroger la loi. Ce Livre Blanc a suscité une forte opposition de la part des Indiens qui le considéraient comme une tentative pour rompre tous leurs liens traditionnels avec le gouvernement à une époque où ils luttent pour une plus grande reconnaissance de leurs droits traditionnels, pour le règlement de leurs revendications de leurs territoires et pour en acquérir la gestion.

La Loi subira de nombreuses modifications au cours des ans. Elle interdit de façon progressive les traditions indiennes telle que la Danse du Soleil et le Patshat, le festival de distribution de cadeaux. Sir John A. Macdonald, premier dirigeant de la fédération canadienne préconisa une politique sociale assimilatrice; être « blanchisé » c'était être violemment dépersonnalisé, déshumanisé, privé de langue, de passé, de relation avec la nature.[11]

On retira enfin le projet, mais le gouvernement se refusa à modifier la loi, tout en demeurant conscient de ses failles et imperfections. Il est possible que la reconnaissance constitutionnelle de 1982 des droits des Autochtones et des traités favorise une révision en profondeur de cette loi qui longtemps a résisté au changement.

Pendant que les ressources se développaient sur les territoires dénés—pétrole à Norman Wells, gisement aurifère à Yellowknife, uranium à Port Radium, plomb et zinc à Pine Point et les mines de diamants de nos jours—des communautés se développaient autour des écoles durant les années 60. La partie occidentale des T.N-O. fut arpentée et enregistrée auprès du Ministère des Affaires indiennes et du Nord. Les Missionnaires et le gouvernement s'attribuèrent les meilleures terres, laissant aux Indiens les terres incultes.

Le peuple Déné n'a jamais fait cession de son territoire (cf. les Traités N° 8 et N° 11), alors le Ministère des Affaires indiennes a lancé le processus de revendication territoriale afin de vérifier les titres de propriété pour déterminer quel territoire appartenait à la Couronne et quel territoire était le bien des Dénés. Les Dénés tentent d'en arriver à un règlement qui reconnaisse leurs droits à un certain degré d'autodétermination à l'intérieur du contexte national canadien.

À ce jour, plusieurs revendications territoriales ont été résolues. Des ententes ont été signées avec les Inuits du Nunavut et les Dénés Gwich'in, Sahtu et Tlicho. Pour leur part, les Indiens de Salt River et de Hay River ont opté pour l'établissement de réserves. Deux régions dénées n'ont pas encore conclu des ententes. Des négociations sont en cours depuis de nombreuses années ayant trait aux territoires des régions Akaitcho et Deh Cho. Cette dernière région est largement convoitée par le gouvernement fédéral pour le passage de conduites de pétrole et de gaz naturel à travers la vallée du Mackenzie.

Les projets de faire passer des oléoducs et des gazoducs sont au cœur de plusieurs tractations et de pourparlers. À cet effet, une commission d'enquête a été mise sur pied de 1974 à 1977. Le commissionnaire responsable, Thomas R. Berger a recueilli beaucoup de témoignages auprès des personnes concernées. Le rapport recommanda un moratoire de dix ans quant au projet, dans l'attente d'un règlement concernant les revendications territoriales. On s'interrogeait sur l'impact que ces immenses conduites auraient sur l'environnement, la faune et la flore. Pour la première fois, les Dénés faisaient entendre leur voix. À la suite de la Déclaration des Dénés de 1975, les Chefs constituèrent la Fraternité des Indiens des Territoires du Nord-Ouest qui fut à l'origine de la Nation Dénée.

La Fraternité des Dénés est une organisation politique vouée à la défense des intérêts des Dénés, les peuples nordiques de la langue athapaskane et de leurs descendants de la vallée du Mackenzie et des terres des Territoires du Nord-Ouest. Émergeant des préoccupations suscitées par le libellé fédéral des traités no 8 et no 11 signés avec les Dénés, l'un en 1899-1900, et l'autre en 1921-1922, cette organisation dépose, peu après sa constitution (1970), une injonction contre l'aliénation des terres qui y figurent.

Cette affaire, appelée l'Affaire Paulette, est contestée devant les tribunaux, mais en 1973, le juge W. Morrow, de la Cour suprême des T.N-O., admet l'existence des droits des Autochtones. Quoique rejeté en Cour d'appel pour des raisons techniques, ce jugement oblige néanmoins le gouvernement fédéral à reconnaître qu'il est nécessaire d'entreprendre de nouvelles négociations avec les Dénés. Quoi qu'il en soit depuis ce temps les progrès réalisés en vue d'un règlement ayant trait aux revendications territoriales sont considérables.

Outre la question territoriale, les Dénés s'occupent de programmes portant sur la santé, l'éducation, le développement communautaire, les questions juridiques, l'exploitation des terres et des ressources, les communications.

Les Chamans

Jadis les Chamans (hommes ou femmes) étaient des personnages religieux les plus connus. Ils étaient à la fois des guérisseurs et des prophètes, des devins et des gardiens de la mythologie religieuse. Les Chamans qui agissaient comme devins et prophètes s'efforçaient de prédire le résultat de la chasse, de retrouver les objets perdus et de déterminer les causes profondes de mécontentement et d'animosité au sein de leur communauté. Ils avaient la garde des balluchons sacrés de guérisseur qui contenaient du matériel et des objets entourés de mystère et de puissance.

Dans un passé lointain, le Chaman Yamoria fut un grand prophète et un législateur dans la région Sahtu. Plus près de nous, un autre grand devin, le légendaire Chaman Ayah vivait à Déliné. Il est décédé en 1940. À l'époque du Nouveau-Monde, les Chamans jouissaient de plusieurs pouvoirs spéciaux : leur esprit émanait de leur corps pendant des jours entiers et parcourait l'univers et ils possédaient la faculté de se changer en oiseau ou tout en toute autre forme animale. Ils percevaient lorsque quelqu'un était blessé et nécessitait des soins et ils pouvaient pressentir la mort imminente d'une personne. Ils avaient hérité ces dons surnaturels du Créateur, l'architecte de l'univers, le démiurge, l'animateur du monde.

Mon frère, George Blondin, témoigne dans son livre, *When the World was New*, que « les pouvoirs médicaux que les Chamans Dénés possédaient étaient très puissants et variés. Ils légiféraient et venaient en aide aux pauvres, guérissaient les malades et protégeaient le peuple en général. Ils savaient comment communiquer avec les animaux et découvraient où erraient les hardes de caribous au moment de la chasse ».

Cependant, les Chamans furent impuissants devant les affections épidémiques, virales, microbiennes et parasitaires transmises par les nouveaux venus qui débarquaient des bateaux à vapeur circulant sur le fleuve Mackenzie. Cela eut pour effet de détourner les Dénés des Chamans. De plus, le gouvernement canadien et l'influence des missionnaires entravèrent la tâche des Chamans.

Un Ancien de Tulita (autrefois Fort Norman) raconta à Muriel l'arrivée de l'évêque catholique et son cercle d'ecclésiastiques. Le vicaire de l'endroit annonça la venue de ces insignes clercs et les informa qu'ils avaient une importante exhortation à leur livrer. Le message se répandit à travers le territoire d'un pipeau à l'autre. L'évêque notifia les Dénés des lieux de cesser leurs danses du tambour et de ranger définitivement ces derniers, de s'abstenir d'avoir recours aux soins des Chamans parce qu'ils propageaient l'œuvre de Satan. Ils devaient tous se tourner vers la foi catholique.

Sur ce, un des éminents Anciens se leva et se fit entendre. C'était un vénérable vieillard, au soir de la vie, qui s'exprima ainsi : « Quand nous tambourinons, nous adressons une supplique à notre Créateur. Nous sentons la force nous gagner lorsque nous exécutons une danse à Dieu ».

Un prêtre rétorqua qu'ils étaient possédés du démon, qu'ils étaient habités par des esprits malins et qu'ils n'étaient ni plus ni moins que des sorciers.

L'Ancien renchérit : « Dieu est notre Créateur. Il a conçu tout ce qui nous entoure. Il nous créa, nous Dénés, tels que nous sommes. Quand nous battons du tambour nous nous adressons au Créateur. La danse du tambour fait partie de nos traditions ».

L'évêque répliqua qu'ils vivaient dans le péché et que la danse du tambour n'avait aucun effet. « Vous encourez la damnation », lança-t-il d'un air courroucé.

Tous les Anciens secouèrent la tête avec cette verve d'incrédulité et de refus d'être dupes. Toutefois, ce prêche moralisateur de l'évêque eut un effet dévastateur dans l'esprit des Dénés en général et sema la confusion. Ces derniers adoptèrent plusieurs éléments du christianisme, mais conservèrent un grand nombre de leurs propres traditions spirituelles, parfois en cachette.

Mon frère George Blondin a reçu la médaille de l'Ordre du Canada, la plus haute distinction au pays pour les œuvres accomplis et pour son dévouement envers le patrimoine culturel de la Nation Dénée, des mains de la Gouverneure générale Adrienne Clarkson. Janvier, 2003.

Les Contrecoups Néfastes

Le gouvernement cherchait à faire de nous de « petits blancs », mais il ne comprenait pas les conséquences qui allaient s'ensuivre. L'expérience vécue dans les pensionnats contribua à plus ou moins long terme à notre anéantissement. Rien ne se passe sur une des parties de notre être qui n'ait sa répercussion sur l'ensemble. Nous avons tous vieilli maintenant et nous sommes en mesure de pouvoir parler ouvertement de notre cheminement. Je ne peux m'empêcher d'évoquer les événements vécus, les sévices subis aux mains des Sœurs Grises parce qu'ils ont été vraiment horribles. C'était offensant et injurieux même lorsque ces dernières ne jaspinaient qu'en français dans mon entourage, laissant entendre très clairement par leurs attitudes hautaines que je n'étais pas digne à leurs yeux. Comment expliquer la chose autrement?

À cette époque des pensionnats, certains se sont révoltés en se sauvant ou se sont cabrés contre l'autorité; mais la majorité s'est soumise parce qu'il n'y avait rien d'autre à faire. Finalement, les pensionnats ont été fermés, cependant les communautés autochtones se sont retrouvées avec les pots cassés, un legs des menées gouvernementales.

Le comportement antisocial hérité se répercutera avec un taux de criminalité alarmant. Toutefois, la criminalité n'est pas un phénomène isolé; elle est reliée à la pauvreté, à l'exiguïté des locaux d'habitation, à l'abus de l'alcool, et la vogue de plus en plus grandissante pour les stéroïdes, à la désintégration de l'unité familiale traditionnelle et au dépérissement culturel.

Le taux de délinquance juvénile chez les Autochtones atteint des proportions alarmantes. Souvent, ces jeunes délinquants sont présentés comme de malheureux cas isolés, c'est très frustrant. Il apparaît improbable que les taux de criminalité et de délinquance juvénile affectant les communautés autochtones s'abaissent avant que des changements ne soient apportés aux conditions sociales. Dès lors, j'ai décidé de partir en croisade afin faire ouvrir les yeux du Canada entier concernant cet état de choses.

Le ratio de mortalité, de maladie et d'accident chez les Autochtones est plus élevé que la moyenne générale et témoigne de l'existence de conditions de santé déficientes, issues de diverses lacunes dans l'alimentation, le logement, l'approvisionnement en eau potable et l'accès au service de santé.

Les programmes sociaux et de santé qui étaient pratiquement inexistants il y a quelques années, sont encore de nos jours toutefois insuffisants. Quelle que soit l'aide fournie, elle ne résoudra pas du jour au lendemain tous les problèmes. Certains persisteront notre vie durant et affecteront même les générations futures.

En raison de l'éducation sévère à laquelle j'ai été soumise dans ma petite enfance, je suis devenue perfide et mensongère afin attirer un peu d'attention. Pendant plusieurs années, j'ai été rabattue et houspillée sans pouvoir m'exprimer adéquatement à qui que ce soit. Je n'ai pas été entendue. J'ai été profondément blessée et de ce fait j'ai développé une haine pour les Sœurs Grises que j'ai toujours nourrie en mon sein, impuissante à me confier à quiconque.

J'étais offusquée quand les Sœurs s'exprimaient qu'en français devant moi, ayant le sentiment que je n'étais pas suffisamment digne qu'on me fournisse des explications.

J'ai été violentée de manière rituelle beaucoup trop fréquemment pour être en mesure de vous révéler chaque incident en particulier.

J'étais consciente qu'il me fallait dépouiller plusieurs livres pour me reconstruire et j'ai pris à tâche de le faire

De Bonne Foi

J'ai été envoyée dans des pensionnats catholiques attendu que j'avais été baptisée dans cette fois. Je me suis toujours demandée pourquoi j'avais été commise dans de telles institutions. Ce n'est que beaucoup plus tard que j'ai appris que le gouvernement canadien l'avait mandaté ainsi dans un décret sur l'instruction publique rendant obligatoire la scolarisation à travers le pays.

La religion était au cœur de l'éducation religieuse dispensée dans les pensionnats. La prière était omniprésente, consacrée par le culte et la liturgie. Nous passions beaucoup de temps à étudier le catéchisme, contenant les principes de la foi chrétienne au moyen de questions et de réponses. Le missel était notre livre de chevet; il nous accompagnait à la messe—la Bible toutefois demeurait dans l'ombre, presque interdite d'usage. Le scapulaire, le chapelet et les médailles faisaient partie de la panoplie scolaire. Notre esprit était encombré d'un fatras de connaissances religieuses mal assimilées.

Le but des missionnaires était de nous soustraire, enfants incultes et manquant de raffinement, à nos familles et nous inculquer l'enseignement propre à eux. Dans ce processus de devenir des êtres cultivés « à l'européenne », nous étions dépossédés de notre patrimoine culturel et par le fait même appauvris, plus ignorants que jamais. Nous devons maintenant repartir à zéro et nous mettre à la recherche de notre identité culturelle.

Nous devions sensément acquérir des connaissances qui

devaient développer notre sens critique, notre goût et notre jugement. Mais je me demande encore à ce jour en quoi les Européens
étaient plus raffinés que nous avec leurs convenances et leurs pré-
tendues bonnes manières. C'est vrai qu'à leurs yeux, nous,
Autochtones, étions des arriérés, des primitifs, des sauvages incapables d'apprécier les beautés de l'art. Les colonisateurs ont envahi
les peuples indigènes à travers le monde pour accéder aux ressources naturelles et créer de l'emploi au nom de la démocratie,
donnant lieu à des désastres écologiques à notre mère la terre et à
notre père le firmament : dégradation des conditions de vie, rivières
polluées par les déchets industriels, des gaz souillant l'atmosphère
des villes. Être indigents économiquement parlant ne veut pas dire
qu'on le soit spirituellement. Il y a beaucoup d'enseignements religieux avec lesquels je n'adhère pas, devenue adulte.

Je me suis sentie abattue, puis grandie et changée de plusieurs façons depuis que j'ai quitté les pensionnats. J'ai découvert
plusieurs manières afin de reconstituer ma vie : la plus efficace fut
de croire en la lumière de l'Esprit-Saint à travers de nombreuses
lectures curatives et reconnaître que notre esprit a vécu plusieurs
vies avant celle que nous avons présentement. Cet enseignement ne
fait pas partie des principes de l'Église catholique et ce fut le fil
conducteur qui m'a aidé à surmonter les traumatismes subis dans
les pensionnats.

Je suis une personne qui n'a pas appris à vivre avec les préceptes suivants : « Avoir *confiance*, apprendre à acquérir la *foi*,
l'*amour*, la *charité*, l'*espoir*, apprendre à partager nos *connaissances*, à
mettre en commun ce que nous possédons et *de ne pas abuser*. Il faut
se réincarner aussi souvent que l'on ne retrouvera pas la vraie voie.

Je crois en la réincarnation, je crois que notre âme, notre
esprit est immortel. Un jour, où je me trouvais dans une église à
Yellowknife, j'ai entendu un prêtre affirmer catégoriquement au
prône dominical qu'il ne fallait pas croire en la réincarnation. J'ai

été littéralement offensée et rebutée parce que je crois profondément en la palingénésie. Puisqu'on ne peut changer les dogmes de l'Église, je n'y suis plus jamais retournée.

Je crois aussi que Dieu notre Créateur et les maîtres, les corps célestes, sont plus conciliants que les églises. Je crois que je suis mon propre juge quant à la manière dont je traite ma famille, mes voisins et le monde. Je crois que je vais comprendre les répercussions de mes erreurs. Les Anciens racontent qu'à notre mort nous suivons à la trace le moindre cheveu que nous avons perdu sur la terre, notre sentier de la vie afin de rendre compte de nos fautes. Il y a plusieurs livres au sujet du Nouvel Âge qui évoque la Chambre des Archives, mieux connues sous le nom des Archives Akashiques où l'historique de notre âme est conservé dans les sphères astrales, le ciel.

Chez mon peuple, les Dénés, nous croyons en la réincarnation, d'une génération à l'autre. Souvent un nouveau-né incarne ou rappelle le nom d'une personne décédée.

Selon les écrivains du Nouvel Âge, des groupes d'âmes ont tendance à se réincarner ensemble encore et encore, résolvant leur karma (la destinée d'un être est déterminée par ses actions passées) sur le cours de plusieurs vies antérieures. Les familles et les amis sont dénommés groupes d'âmes qui se réincarnent infiniment afin de corriger leurs problèmes.[12]

Lorsque j'ai quitté pour la dernière fois les pensionnats, j'avais tellement de ressentiments contre l'Église que j'ai cessé de croire en Dieu pendant de nombreuses années. Les Sœurs Grises m'avaient laissée avec ce sentiment que tout était péché, que je brûlerais en enfer le reste de mes jours. J'en étais venue à avoir une peur morbide du démon. Afin de trouver certaines réponses, je me suis mise à lire des écrits scientifiques sur l'arrêt des fonctions vitales des cellules entraînant leur destruction progressive, comment nous nous souvenons de certains aspects de notre vie alors que les cellules du cerveau dépérissent. Pendant longtemps j'ai cru qu'il n'y avait plus de vie après la mort. J'avais cessé de croire en Dieu, notre Créateur. Plus je lisais, plus de questions étaient soulevées au sujet de la spiritualité de mon âme.

Puis je me suis tournée vers la pensée spirituelle du Nouvel Âge, le retour dans le passé à travers l'hypnose, les apparitions fantomatiques. Je me suis penchée sur les écrits d'Edgar Cayce, le médium qui entrait en transe au cours de ses sessions, et ses singulières interprétations en regard de la réincarnation et les pouvoirs de l'inconscient. Une large part de notre vie psychique demeure inconsciente et certains phénomènes qui en sont masqués rendent leur étude difficile. Je me suis documentée sur les anges gardiens qui veillent sur nous, nous guident et nous protègent en tout.

Je me suis également renseignée à travers mes nombreuses lectures sur les phénomènes parapsychologiques, la télépathie; j'ai consulté des livres d'historiographes et de mémorialistes, livres traitant de la santé physique et morale pendant ces quarante dernières années ainsi que des livres pédagogiques.

Tout en poursuivant mon apprentissage, je suis retournée à la prière. Chaque matin, au lever du jour où ma concentration est optimale, j'y consacrais une ou deux heures, dépendant du nombre de gens qui me demandaient de prier pour eux. J'ai retrouvé la foi, ce fut mon chemin de Damas. Je récitais mon chapelet parce que je crois en les lumières de l'Esprit Saint. Je n'ai retrouvé Dieu qu'après toutes ces années, parce que j'avais la rage au cœur pour tout ce que les Sœurs Grises m'avaient fait subir. Au fil des ans, j'ai évolué lentement, dévorant au-delà de quatre mille livres. J'ai vieilli et je comprends mieux maintenant les cycles de la vie, les bonnes et les mauvaises énergies, les liens spirituels qui existent ici sur la terre, le souffle éthéré de Dieu, notre Créateur.

Je ne maudis plus le système qui me rendit si négative. Je me suis réconciliée avec la vie. Je sais maintenant que nous ne formons qu'une entité et que Dieu notre Créateur vit en chacun de nous. Je crois que notre corps constitue notre propre église, le temple de la lumière qui connaît chacune de nos pensées, chacun de nos gestes. Aimer quelqu'un c'est se comporter envers lui comme on aimerait qu'il se comporte envers nous. Nous devons craindre moins notre prochain et être plus charitables envers lui.[13]

Je me sens mieux de jour en jour en sachant que Dieu est conscient des sévices que j'ai soufferts et qu'il veille sur moi. Je prie aussi pour tous les jeunes qui ont été victimes d'abus de toutes sortes, et que les agresseurs cessent leur carnage.

Il faut sensibiliser les gens aux problèmes de l'environnement, de respecter notre Mère la Terre, notre Père le Firmament, notre Grand-père le Soleil et notre Grand-mère la Lune, et paix à tous les humains. Je recommande aux gens de réfléchir avant de parler, d'être bons, d'être dépossédés du prince des ténèbres.

La toxicomanie se présente sous tellement de différentes formes aujourd'hui qu'il n'est pas facile d'en détecter les problèmes et de trouver une solution rapide. Tous les jours, en se levant il faut prendre conscience de nos problèmes et chercher à les surmonter. C'est difficile d'aider les gens qui sont illettrés et incultes. C'est très ardu de se défaire des mauvaises habitudes acquises.

Des études en psychologie révèlent que les individus présentant une personnalité psychopathique caractérisée essentiellement par l'impulsivité, l'instabilité, l'incapacité d'adaptation au milieu menant à des comportements antisociaux résistent aux traitements. Cependant, il ne faut pas baisser les bras, mais garder espoir.

Recours aux Forces Supérieures

Comment allons-nous alors retrouver notre équilibre, la maîtrise de nous-mêmes, de reprendre confiance en nous-mêmes? Je crois en notre patrimoine déné, notre force intérieure et notre spiritualité. Je crois aussi en les forces supérieures de la lumière éternelle, en la réincarnation que Jésus nous a enseignée en son temps en la philosophie du Nouvel Âge et en la capacité génératrice du corps. Notre âme est reliée à tous les éléments. En prenant soin de votre âme, vous vous sentirez mieux et vous développerez une pensée plus positive. De bonnes actions et des représentations mentales salutaires vont jaillir de votre être, vous allez parvenir à atteindre les autres, en répandant le bien. Souvenez-vous que lorsque le corps s'éteint, l'âme poursuit sa course. Souvenez- vous du tunnel, de la lumière, le bilan de la vie, de la chambre des archives qui enregistre toute la vie des âmes d'une réincarnation à l'autre.

Dans un livre intitulé *The Messenger*, il est fait mention de propos similaires à ceux que je viens de tenir :

«. . . ce qui nous unit à Dieu c'est la force, cette énergie qui est une partie de Dieu qui ne peut pas mourir. Quand cette énergie quitte le corps qui cesse de fonctionner, elle est alors dans un autre niveau, une autre existence vibrationnelle avec d'autres esprits qui eux aussi ont laissé leur corps physique durant cette période où nous existons à un autre niveau, nous

avons une connaissance que nous n'avions pas lors de notre vie mortelle. Et alors nous passons en revue ce qui est survenu dans notre vie antérieure en préparation en vue d'une prochaine réincarnation. Puis la décision est prise de retourner dans un autre corps . . . . . . Nos guides spirituels sont toujours à nos côtés afin de nous conseiller bien que nous n'en nous soyons pas conscients.»[14]

Le Peuple Déné est aussi spiritualiste, malgré le fait que le gouvernement ait tenté de freiner les Chamans et notre spiritualité. Ces derniers ont résisté et nous ont laissé des valeurs, des croyances et des légendes sont parvenues jusqu'aux Anciens par l'entremise de leurs ancêtres. De bonnes valeurs, le travail assidu et la bonté sont à la base de plusieurs de leurs enseignements.

Nos tambours que les missionnaires ont déclaré être l'œuvre de Satan et proscrits par le gouvernement sont utilisés à titre curatif. Danser et chanter au son du tambour rapproche vers nous les Esprits afin de pouvoir dialoguer et demander leur aide dans tout ce que nous entreprenons sur la terre. La vie est en effet un cercle et nous pouvons le réintégrer afin de vivre une vie plus saine de nos jours.

Les peuples autochtones possèdent plusieurs façons de retrouver le bien-être et nous pouvons nous en inspirer. Le rétablissement est comme un territoire que nous devons nous réapproprier. Il ne s'agit pas d'une région géographique, mais plutôt du cœur. Il y a de l'espoir, de l'amour, d'une vision dans le rétablissement. Personne ne peut nous empêcher de recouvrer notre propre cœur et esprit; ils nous appartiennent. Le rétablissement est un pas de géant dans la bonne voie, en vue de se retrouver et reconquérir notre dignité.

La Roue Médicinale est un ancien symbole pour les quatre grand-pères, les quatre vents, les quatre directions, les quatre étapes de la vie, les quatre races symboliques : rouge, jaune, blanche et noire, les quatre éléments : la terre, l'air, le feu et l'eau. Tous les êtres humains ont une nature quadruple : physique, mentale, émotive et spirituelle. Chaque esprit de cette nature doit se développer d'une manière uniforme chez un être bien équilibré en ayant recours à la volonté. La Roue Médicinale nous montre la voie vers la croissance et le développement. Nous possédons tous en nous le pouvoir d'y parvenir.

Les guérisseurs font usage de pipes cérémoniales et ils brûlent des herbes odorantes et de la sauge pour bénir et purifier tous ceux qui sont présents. Ils ont recours au Cercle de Guérison où les victimes, les agresseurs et leur famille sont réunis pour discuter des problèmes en cause au milieu de révélations, de pleurs et de pardons afin que les personnes, la famille et la communauté puissent s'en remettre.

L'emploi de huttes de purification, la pratique de la sobriété et s'amender sont quelques-unes des ressources dont une communauté a besoin. Dans la vie, il faut savoir faire les bons choix et être au fait qu'il existe des limites. Il y a dans les communautés beaucoup de centres de soins et l'on devrait y recourir afin de retrouver une vie harmonieuse et bien équilibrée. Se ressourcer dans le patrimoine aborigène et en être fiers.

La solution réside dans la réintégration de notre culture et nos traditions. Nous devons toujours nous souvenir que la lumière du Créateur repose en chacun de nous et qu'elle nous viendra en aide afin que l'on cesse de s'affliger dans le dessein de se rétablir, de se pardonner à soi et aux autres et avancer dans la vie. La lumière est toujours avec nous; nous ne sommes jamais seuls. C'est l'enseignement de Josué, de se pardonner tous les péchés commis : la colère, la jalousie, les mensonges, la gourmandise, la cupidité, le commérage.[15]

Aimez-vous les uns les autres, car une vie démunie d'amour en est une de haine, de colère et d'animosité. Elles peuvent s'accumuler et finir par nous atteindre moralement et physiquement. Ceci aura pour effet de nous purifier de tout négativisme, non seulement procurant une cure à l'âme et au corps, mais aussi vous deviendrez un avec Dieu, notre Créateur. L'amour conquiert tous les malaises. Si vous vous aimez, vous allez découvrir la paix et vos proches feront de même. Vous ne pouvez pas aider les autres si vous ne vous aimez pas ou ne comprenez pas la dynamique de l'affliction. Le seul moyen de guérir c'est de se considérer guéri.

Il y a plusieurs manières de retrouver l'harmonie et l'équilibre du psychisme, mais le premier pas à faire c'est d'identifier le mal en vous qui fait des ravages et de prendre les moyens pour le néantiser. Retrouvez la paix en vous-mêmes avant de tendre la main à votre prochain et à la communauté en général, où il pourrait y avoir beaucoup d'obstacles à surmonter. Soyez forts et persistants sur la voie de la guérison parce que cela peut s'avérer ardu. Armez-vous et soyez patients. Le pouvoir de l'amour stimule, affermit, versant un baume sur les égratignures et permet de vous lénifier.

Avant tout il faut essayer d'identifier les causes de vos difficultés dans votre vie quotidienne. Si vous souffrez d'alcoolisme, vous devez recourir à de l'aide auprès d'un centre de soins spécialisé à cet effet. C'est une première étape à franchir parce que quand vous serez sur la voie de la sobriété votre passé va vous revenir à la mémoire, des choses bonnes comme mauvaises que vous avez connues. Cette phase est salutaire pour l'âme. Dès que vous aurez été sobres pendant quarante jours, vous commencerez à vous sentir mieux, grâce aux conseils et à l'assistance socio-psychologique. En thérapie, vous allez prendre connaissance des trois phases de l'alcoolisme et des mécanismes de défense liés à votre addiction. Ne vous découragez pas, votre conseiller est là pour vous venir en aide. Faites-lui confiance. Échangez avec quelqu'un, ayez un ami qui apportera son soutien. Inscrivez-vous auprès des Alcooliques Anonymes. Assistez aux rencontres jusqu'à ce que vous ayez développé une philosophie positive qui concourra à votre bien-être. Transformez votre vie avec le secours des forces supérieures. Priez et méditez afin de vous améliorer. Parlez de votre problème, soyez honnête consciencieux envers vous-même. Demandez à Dieu qu'il vous supporte en ces moments difficiles. Peu importe ce qu'ils sont, remettez-vous-en à la lumière éternelle et à l'Esprit Saint. J'ai repris à vivre et retrouvé la paix en agissant de la sorte.

Pardonnez-vous ainsi qu'à votre prochain. Votre corps est le temple vers la lumière, C'est la déité qui pardonne tout. Dieu vous absoudra de tous vos torts. Ne portez pas attention aux propos calomniateurs, ne vous laissez pas abattre. Oubliez les détracteurs et poursuivez votre chemin, parce que le Créateur voit, entend et tempère. Je ne commence jamais ma journée sans avoir dit une prière et je rends grâce à notre Mère Terre pour ma renaissance.

Ressources Disponibles

Il importe de considérer nos conditions sociales, nous Autochtones, en fonction d'un ensemble de phénomènes étroitement lié tels la situation géographique, le niveau de revenu et des facteurs d'ordre culturel. Bien que nombre d'entre nous vivons à l'intérieur des réserves ou dans les communautés isolées, on assiste à une migration considérable vers les agglomérations urbaines, particulièrement chez les jeunes, d'où l'explosion des problèmes sociaux.

Le taux d'emploi chez les Autochtones est le plus bas de tous les groupes ethniques et le revenu par famille est souvent égal ou inférieur à la moitié de celui de la population générale. Près de 70 pour cent des Autochtones sont dépendants d'une forme ou d'une autre d'assistance sociale.

Des facteurs d'ordre culturel sont liés de façon importante aux conditions sociales. Ils peuvent garantir soutien et protection à une famille ou en freiner la réussite et être perçus comme des obstacles dans le processus d'intégration culturel. La question la plus débattue en matière de phénomènes culturels est celle de l'importance accordée au partage. Traditionnellement, le partage s'avérait indispensable à la survie. À notre époque, l'économie étant basée sur l'aspect monétaire, le partage peut créer certains problèmes.

Quant à ceux qui ont besoin d'aide, il existe à cet effet plusieurs organismes à travers le Canada, y compris les programmes financés par le gouvernement dans votre localité. Il y a des centres d'aide et d'écoute pour la drogue, le jeu; des centres d'asile et de refuge et les services sociaux, la Gendarmerie du Canada. Beaucoup d'autres sont répertoriés dans les pages jaunes. Prenez rendez-vous dans une clinique médicale. Les ressources sont multiples, ayez-y recours. Vous devez faire appel à quelqu'un en qui vous avec avez confiance et vous en remettre à lui. Vous pouvez discuter librement et ouvertement avec des gens bien outillés. Aucun problème n'est jamais trop complexe; une solution est toujours à la portée de la main. Vous pouvez également consulter les sites internet.

Beaucoup de gens n'aiment pas aborder leurs problèmes personnels avec des conseillers sociaux, psychologues ou thérapeutes traditionnels. Ils craignent d'en parler ouvertement parce qu'ils n'ont pas confiance et appréhendent les cancans. Ils refusent qu'on fasse mention de leur nom, à cause de la violation de la confidentialité survenue antérieurement. La vie parfois nous réserve de mauvaises surprises, mais un jour viendra où il vous faudra demander conseil. Si vous n'avez pas confiance en qui que ce soit, il ne vous reste qu'à vous tourner vers Dieu notre Créateur pour obtenir de l'aide. Vos pensées seront entendues spirituellement. Nous avons des guides spirituels, des anges gardiens qui veillent sur nos moindres gestes. Alors, entreprenez votre cure psychique en vous remettant à la lumière de l'Esprit Saint. Vous pouvez toujours invoquer les mânes des ancêtres. Souvenez-vous que vous n'êtes jamais seuls.

Outre les programmes établis pour venir en aide aux personnes aux prises avec des problèmes psychiques, les conseillers des Premières Nations devraient songer également à mettre sur pied des loisirs. Festoyer, danser, giguer, jouer du violon, de la guitare, chanter, battre du tambour, se récréer tous les jours. Une fois terminées les festivités, il devrait y avoir des ressources mises en place pour surmonter la peur, favoriser la prière, la méditation et apprendre à aimer.

Récapitulation

Un amendement à la Loi sur les Indiens rendit l'instruction des enfants obligatoire. Il n'y avait pas d'école dans la plupart des villages et la majorité des Dénés étaient des nomades. Ils parlaient six différents dialectes et connaissaient à peine la langue anglaise et encore moins la langue française. Les premiers missionnaires demandèrent au gouvernement de chercher à améliorer la vie des pauvres Dénés. L'Église érigea des orphelinats, des pensionnats et des hôpitaux dans les T.N.O. pendant que les Dénés qui n'avaient pas d'habitation fixe continuèrent leur nomadisme comme ils l'avaient fait depuis toujours. Les missionnaires firent savoir aux Dénés qu'ils devaient envoyer leurs enfants à l'école.

Dans les pensionnats, les jeunes filles reçurent des cours de base en enseignement domestique : elles apprirent à faire de la couture du tricot et furent initiées à d'autres cours d'art ménager. Aucuns cours d'éducation supérieure n'étaient donnés. Si cela avait été le cas, nos vies auraient pris certes une nouvelle orientation. Quand naguère j'ai aménagé à Yellowknife j'ai remarqué que les femmes aborigènes travaillaient comme domestiques ou encore lavaient la vaisselle dans les hôtels, mais elles sont nombreuses maintenant à poursuivre des études universitaires et à faire carrière dans nombre de domaines. À leur sortie des externats, les emplois qui s'offraient aux jeunes hommes étaient restreints : ils étaient contraints à chiner comme journaliers dans les mines, comme aidearpenteurs ou bien à la prospection minière et à la lutte contre des incendies. Certains revinrent à leur mode de vie traditionnel. Depuis leur accès à l'éducation, ils possèdent désormais des postes importants dans la fonction publique. Les pensionnats furent finalement fermés. L'hôpital de Fort Resolution a été réduit en cendre en 1970 et fut remplacé un an plus tard par un centre d'hébergement. L'ancien Pensionnat St-Joseph où j'ai résidé fut démoli dans les années 70, car il ne restait plus grand-chose des murs. Un centre domiciliaire occupe maintenant les lieux. Toutefois, la petite église est toujours là. L'aile des garçons et des filles de Breynat Hall à Fort Smith a été complètement ravagée par les flammes; l'ancienne chapelle fut convertie en un gymnase. La cafétéria se trouvait au sous-sol. J'y suis allée une fois pour la tenue d'un atelier et tout était comme avant. L'Internat Lapointe était encore debout la dernière fois que je l'ai aperçu en 1988, mais il m'a paru hanté.

Les pensionnats et les internats ont été établis au Canada vers 1840 et clos dans les années 70 et 80. Le 19e siècle connut une grande activité économique. À travers le Canada en 1852, il y avait des milliers de moulins à farine, des scieries en activité et l'exploitation d'une douzaine d'usines de pâte à papier dans différentes provinces.[16]

En 1923, l'Imperial Oil Company amorça l'exploitation des champs pétrolifères de Norman Wells et recruta des journaliers aborigènes pour débroussailler des chemins. Pendant la Deuxième Guerre mondiale, la construction d'un oléoduc de Norman Wells jusqu'en Alaska en passant par le Yukon fut amorcée. Le corps d'armée américaine fit appel à plusieurs manœuvres autochtones, dont mes oncles Joe et John Blondin. Ils connaissaient sur le dos de leurs mains les routes historiques à travers les montagnes aux flancs déchiquetés, les ayant parcourues en hivers en traîneaux à chiens pour négocier à meilleur prix leurs peaux de fourrure et s'adonner à des jeux de paume. (La construction de l'oléoduc fut abandonnée à la fin de la guerre.)

De la mine de Port Radium, des minéraux radioactifs furent extraits de 1932 à 1982. Des Autochtones transportèrent sur leur dos des sacs de pechblende cancérigène de la mine jusqu'au port en direction sud en passant par le lac du Grand Ours et le fleuve Mackenzie. Ma famille se livrait à la pêche dans ces eaux, ignorant qu'elles étaient contaminées. Le poisson était une denrée principale et il était délicieux quoi qu'il en soit. En 1977, mon frère Joe travailla à la décontamination du site minier et se retrouva dans un lit d'hôpital pendant deux jours, le même, ironie de la chose, qu'il avait occupé garçonnet.

Alors que je me retrouvais à l'école, le gouvernement entreprit de bâtir des maisonnettes pour les Dénés afin qu'ils mettent fin à leur nomadisme. La délocalisation devint alors une tendance à la hausse. Lorsque l'école fut détruite par le feu à Rocher River, les gens durent déménager à Fort Resolution, Hay River ou Yellowknife. Quant à cette dernière ville, les maisonnettes destinées aux Autochtones furent implantées près des berges du Grand Lac des Esclaves. Lorsque la population de Yellowknife augmenta, les terres longeant le lac devinrent très convoitées. Pendant les longs mois d'hiver, les Dénés s'absentaient pour se livrer à la chasse et au piégeage. Pendant leur absence, la municipalité de Yellowknife s'appropria leurs terrains et démolit leurs masures. Un jour, alors que je participais à un atelier gouvernemental sur les droits territoriaux j'ai soulevé cette épineuse question, accroc à la loi et muflerie. Un des bureaucrates répliqua que cela relevait de la *justice frontalière* et qu'il n'y avait rien à faire. C'est une façon bien bizarre d'agir pour un peuple soi-disant civilisé.

Beaucoup de familles dénées poursuivent leur mode de vie traditionnelle telle que décrite dans les livres de mon frère, George Blondin, concernant les Chamans : *When the World Was New*[17] et

Ymoria, the Lawmaker[18]. Le peuple déné doit faire appel à leur imagination et être très astucieux pour survivre à des températures de moins quarante et cinquante degrés pendant plusieurs mois de l'année où la neige couvre le sol d'un manteau blanc. Les Anciens dénés possèdent une connaissance approfondie de la nature. Ils sont d'une grande intelligence et sagesse. Un temps de repos est également alloué pour qu'on puisse se délasser, se récréer. Sir George Back, explorateur de l'arctique et artiste, a dépeint de jeunes Indiens en train de jouer au hockey. Il a également fait des aquatintes de la vie des Autochtones le long de la rivière Thiew-ee-choh (grande rivière à poissons) et qui porte aujourd'hui à tort son nom. La détente chez les Autochtones, après une occupation sérieuse, n'est pas seulement une récréation. Les jeunes sont initiés au tambour; ils apprennent les danses traditionnelles et l'art du conte qui sert à enseigner les valeurs à promouvoir dans la communauté, une vision, la sagesse, l'unité, la paix et la justice.

Avec la venue de la Cie de la Baie d'Hudson et de la North West Company, le commerce de la fourrure débuta. Comme gagne-pain, les Dénés se livraient à la chasse et au piégeage de toutes sortes d'animaux destinés à l'usage des Européens. Autrefois, c'était la seule façon pour les Dénés de faire de l'argent, hormis le temps des traités. Tous les Dénés se firent trappeurs ou chasseurs pour gagner leur vie, et leurs fourrures étaient d'une qualité supérieure affectée à la fabrication de manteaux et de chapeaux pour garder bien au chaud les gens. L'époque où l'on abattait des animaux pour subvenir aux seuls besoins de la famille était révolue.

Même si nous avions reçu une bonne éducation dans les pensionnats, les perspectives d'avenir pour les Autochtones étaient fort limitées. Le plan du gouvernement visant à « civiliser » les enfants eut l'effet inverse, et les enfants devinrent la proie des prédateurs les plus scabreux qui se tapissaient dans le système scolaire.

Outre l'Église catholique, d'autres groupements religieux furent
mis en cause. Au début, ceux-ci nièrent catégoriquement les accu-
sations, taxant les soi-disant victimes d'imaginer des faits qui
n'étaient jamais survenus. Les personnes qui ont souffert de ces
vicissitudes furent tenues d'affirmer encore et encore leurs troublantes histoires, jusqu'à dans les médias mêmes.

Vingt-huit anciens élèves de l'Internat Grollier à Inuvik ont
été assaillis par quatre agresseurs durant plusieurs années. Les victimes, devenues maintenant des adultes, sont encore aux prises avec
les épreuves subies. Ils ont convenu à une entente à l'amiable en vue
d'obtenir une compensation financière avec le diocèse de Mackenzie.[19] Un brûlot au sein de l'Église. L'Internat Grollier a été démoli.

En date de 2002, neuf mille anciens élèves ont intenté des
procédures judiciaires à travers le Canada, seulement cinq cents
des cas ont été réglés. Je partage l'avis de l'ancien chef Phil Fontaine
de l'Assemblée des Premières Nations qui soutient que tous les
élèves devraient être indemnisés pour chacune des années qu'ils
ont fréquenté ces pensionnats, et davantage pour ceux et celles qui
ont vécu une expérience traumatisante. J'apporte mon appui à chacune des 12 000 actions en justice entreprises ayant trait à des
agressions de tout genre, à la perte des langues amérindiennes,
creuset de la civilisation des Autochtones.

Il n'existe pas de statistiques à savoir combien d'enfants
autochtones furent molestés physiquement et sexuellement, violentés et soumis à de rudes châtiments. Personne n'intervenait pour
venir en aide à ceux qui étaient houspillés et sévèrement vilipen-
dés, année après année. Autrefois, les chamans apportaient des
soins, mais ils furent proscrits par l'Église catholique parce que
leurs gestes contrevenaient aux préceptes religieux. Tout semblait
être « péché » alors; et si vous aviez commis une faute, vous n'aviez
qu'à vous en confesser et faire pénitence. Ainsi, vous étiez absous
de vos péchés, mais la guérison à long terme n'était pas une option.

Ce n'est que lorsque le gouvernement fera amende honorable que le peuple autochtone pourra affirmer : « Enfin, le gouvernement admet ses torts pour toutes les souffrances et les tribulations que nous avons connues dans les pensionnats. » Ce n'est qu'un petit apport pour retrouver la voie de la guérison, et il doit y avoir d'autres soutiens pour venir en aide, tout spécialement, à ceux qui s'adonnent à l'alcoolisme, aux stupéfiants—haschisch, marijuana, narcotique. Nous devons avoir accès à des méthodes thérapeutiques, psychanalyse, hypnose, psychothérapie et à des substances médicamen- teuses pour ceux qui souffrent de perturbations graves, physiques et mentales.

Merci à toute ma famille qui m'a prise d'affection, qui m'a montré le chemin de la paix et de la joie—une voie difficile à parcourir, mais la meilleure—et m'a guidée inconsciemment vers le Créateur. Muhsi Cho (merci beaucoup) à mon frère, George Blondin, et aux Anciens pour leurs récits sur le Créateur et tout leur dévouement en vue de perpétuer auprès des jeunes les traditions des ancêtres. Ils m'ont été d'un grand secours et grâce à eux j'ai retrouvé le bonheur et fait la paix avec les autres et moi-même.

Conclusion

Je pense que les politiques canadiennes ont toujours cherché à remettre les Indiens à la place qui leur revenait, c'est-à-dire au bas de l'échelle. Plusieurs communautés traditionnelles se débattent encore avec les valeurs issues des Européens, soit l'individualisme, la hiérarchie et le progrès.

Nous avons grandi dans la honte de nous-mêmes, irrespectueux de notre langue maternelle. On nous a amenés à abandonner notre langue et mis dans la tête que les seules langues civilisées étaient celles des Blancs. J'ai cherché à apprendre les langues autochtones telles que le platcôté-de-chien ou le cri, mais en vain. Je suis parvenue toutefois à faire l'apprentissage de l'écriture syllabique des Cris à travers mes recherches sur les Aborigènes. J'ai dû faire beaucoup d'efforts pour me soustraire aux effets pervers du conditionnement psychique subis dans les pensionnats.

J'ai écrit beaucoup d'articles sur les pensionnats et j'ai parlé avec un grand nombre de femmes et d'hommes que j'ai côtoyés dans ces institutions. La majorité d'entre eux garde un mauvais souvenir de cette étape cruciale de leur vie et nourrit une grande colère; quoique certains, moins nombreux, semblent s'y être complus. Mes lectures m'ont conduite à ces ignominieuses écoles où des milliers d'enfants autochtones ont été agressés à travers le Canada. Nous devons nous renseigner sur le lieu et le moment où ces choses se sont passées, car il m'apparaît aujourd'hui en ce qui concerne le public en général qu'elles n'ont jamais eu lieu. Les musées que j'ai visités au Canada ne font jamais allusion à ce pan d'histoire canadienne. Les photos qui ont été prises de nous lors de notre séjour dans les pensionnats sont quelque part en Alberta ou disparues. Il faut que ce parcours de nos vies soit reconnu et répandu à travers les T.N-O et le Canada.

Adrienne Clarkson, gouverneure générale du Canada, a assisté à Inuvik à une séance de réconciliation des anciens élèves de Grollier Hall afin d'exprimer des regrets aux victimes.[19] Ce n'était pas suffisant. Les excuses présentées par la Ministre des Affaires Autochtones et du Développement du Nord, Jane Stewart, n'étaient pas non plus satisfaisantes. Enfin, ce fut au tour du Premier Ministre Stephen Harper, le 11 juin 2008, de demander pardon au nom du Canada.

Du haut de la Colline Parlementaire, j'ai suivi toute la cérémonie sur un écran géant. Il y avait des caméras de télévision partout et des cadreurs. J'ai tourné le regard vers la Tour de la Paix et cela m'a fait penser à tous ces parlementaires qui ont pris des décisions qui allaient affecter des milliers d'enfants autochtones sans jamais avoir consulté les parents. C'était comme s'ils n'avaient pas existé ou qu'ils n'auraient pas compris. Il n'en demeure pas moins qu'ils ont souffert de ces actions malvenues.

Lorsque le Premier Ministre s'est exprimé d'une voix émue, la gorge serrée, des sanglots me secouèrent, des larmes ruisselèrent de mes yeux. Tom, un autochtone, à mes côtés, n'avait pas assez d'yeux pour pleurer. Deux étrangers qui ressentent la même chose, sanglotaient d'émotion devant la souffrance que nous avions connue. Beaucoup d'autres près de nous éprouvaient un chagrin inexprimable pendant que des conseillers leur apportaient un soutien. En ce beau jour ensoleillé, il y avait une foule bigarrée sur la Colline Parlementaire. Des Canadiens de tous les rangs, avec le concours de millier d'autres devant leur petit écran, venus accorder leur support en assistant à cette importante cérémonie qui avait trop tardé à venir. Mais il n'est jamais trop tard pour se pardonner. Je ne me souviens pas de tous les visages ou les noms des personnes qui avaient la responsabilité des pensionnats, mais je ne leur tiens plus rigueur. Nous devons mettre une croix sur nos ressentiments, reprendre vie et être positifs.

Le fait de reconnaître les torts causés aux enfants autochtones est le début de nouveaux rapports entre les peuples aborigènes et le gouvernement canadien. Le monde en aura aussi des échos. Ce soir-là en me couchant, après les célébrations, mon cœur palpitait comme les battements d'un tambour, de fierté, de joie et de triomphe.

Alice (à droite) avec ses filles Pamela (à gauche) et Heather (au centre).

Renvois

1. Frederick B. Watt, *Great Bear: A Journey Remembered* (Yellowknife, NWT: Outcrop, 1980). ISBN 0-919315-00-3
2. Sisters of Charity (Grey Nuns) of Alberta, 1997. www.greynuns.ab.ca/ history.htm (This website has been under revision for some time. The Montreal Grey Nuns website is http://www.sgm.qc.ca/sgm/anglais/ a_textehistorique. htm#bref)
3. www.ewtn.com/library/MARY/ZFATIMA.HTM
4. www.zenit.org/article-19733?l=english
5. "Residential Schools," *Royal Commission Report on Aboriginal Peoples*, Vol. 1 (1996), page 2. www.turtleisland.org/resources/ rezskool.pdf
6. Carlotta Hacker, *Crowfoot*, The Canadians (Don Mills: Fitzhenry and Whiteside, 1977), page 25. ISBN 0-88902-238-0
7. "Residential Schools," Royal Commission report.
8. Richard Hardy, "The residential schools experience—Readers speak out. An open letter to the Roman Catholic Church," *News of the North* 52 (Monday, January 12, 1998):36.
9. Kenneth Jackson, "Drug Squeeze can lead to violent crime, warns top doc," *Sunday Sun*, April 13, 2008, page 4. www.ottawasun.canoe.ca
10. *The Canadian Encyclopedia*, second ed., vol. 3 (Edmonton: Hurtig, 1988), page 1897. ISBN 0-88830-326-2
11. John A. Price, "American and Canadian Indians," *Native Studies* (Whitby: McGraw-Hill Ryerson, 1978). ISBN: 0-07-082695-1
12. Julia Ingram and G.W. Hardin, *The Messengers* (New York: Pocket Books, a division of Simon & Schuster, 1996). ISBN: 0-671-01686-5
13. Dannion Brinkley, *Saved by the Light* (New York: HarperTorch, 1995), page 59.
14. Brian L. Weiss, M.D., *Many Lives Many Masters* (New York: Simon & Shuster, 1988), pages 42–43. ISBN# 0-671-65786-0
15. Ingram and Hardin, *The Messengers*.
16. "Bytown to Milltown," *Pioneer Days 1840–1869*, Canadian Illustrated Heritage (Toronto: National Science of Canada, 1979). ISBN# 0-9196-4417-1
17. George Blondin, *When the World Was New: Stories of the Sahtu Dene* (Yellowknife, NWT: Outcrop, The Northern Publishers, 1990). ISBN 1-919315-21-6
18. George Blondin, *Yamoria, The Lawmaker: Stories of the Dene* (Edmonton: NeWest Press, 1997). ISBN 1-896300-20-0
19. "Apologies to Grollier Hall victims," June 19, 2002. www.nnsl.com/frames/ newspapers/2002-06/jun19_02grol.html